바른 계산, 빠른 연산!

초능력

수학 연산

초등 수학

3·2

3학년 2학기
연계 학년 단원 구성

교과서 모든 영역별 계산 문제를 단원별로 묶어
한 학기를 끝내도록 구성되어 있어요.

이럴 땐 이렇게 교재를 선택하세요.

1. 해당 학기 교재 단원 중 어려워하는 단원은 이전 학기 교재를 선택하여 부족한 부분을 보충하세요.

2. 해당 학기 교재 단원을 완벽히 이해했으면 다음 학기 교재를 선택하여 실력을 키워요.

3학년 2학기

3학년 1학기

단원	학습 내용
1. 덧셈	받아올림이 없는 (세 자리 수)+(세 자리 수), 받아올림이 있는 (세 자리 수)+(세 자리 수)
2. 뺄셈	받아내림이 없는 (세 자리 수)−(세 자리 수), 받아내림이 있는 (세 자리 수)−(세 자리 수)
3. 나눗셈	곱셈과 나눗셈의 관계, 나눗셈의 몫 구하기
4. 곱셈	(몇십)×(몇), 올림이 없는 (몇십몇)×(몇), 올림이 있는 (몇십몇)×(몇)
5. 길이와 시간의 덧셈과 뺄셈	길이의 덧셈, 길이의 뺄셈, 시간의 덧셈, 시간의 뺄셈

단원	1. 곱셈
학습 내용	❶ 올림이 없는 (세 자리 수)×(한 자리 수)
	❷ 올림이 한 번 있는 (세 자리 수)×(한 자리 수) ①
	❸ 올림이 한 번 있는 (세 자리 수)×(한 자리 수) ②
	❹ 올림이 두 번 있는 (세 자리 수)×(한 자리 수)
	❺ (몇십)×(몇십)
	❻ (몇십몇)×(몇십)
	❼ (몇)×(몇십몇)
	❽ 올림이 한 번 있는 (몇십몇)×(몇십몇)
	❾ 올림이 여러 번 있는 (몇십몇)×(몇십몇)

초능력 수학 연산을 사면
초능력⁺쌤이 우리집으로 온다!

▶ 초능력 쌤과 함께하는 연산 원리 동영상 강의 무료 제공

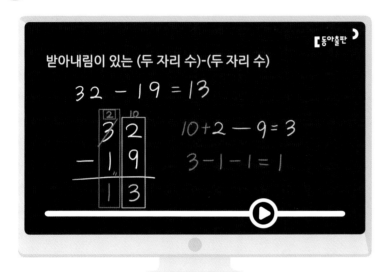

받아내림이 있는 (두 자리 수)-(두 자리 수)

$$32 - 19 = 13$$

 자꾸 연산에서 실수를 해요.
도와줘요~ 초능력 쌤!

연산에서 자꾸 실수를 하는 건 연산 원리를
제대로 이해하지 못했기 때문이야.

 연산 원리요?
어떻게 연산 원리를 공부하면 돼요?

이제부터 내가 하나하나 알려줄게.
지금 바로 무료 스마트러닝에 접속해 봐.

 초능력 쌤이랑 공부하니 제대로 연산
기초가 탄탄해지네요!

🛜 초능력 수학 연산 무료 스마트러닝 접속 방법

방법 1

동아출판 홈페이지 www.bookdonga.com에 접속하면 초능력 수학 연산 무료 스마트러닝을 이용할 수 있습니다.

방법 2

핸드폰이나 태블릿으로 **교재 표지나 본문에 있는 QR코드**를 찍으면 무료 스마트러닝에서 연산 원리 동영상 강의를 이용할 수 있습니다.

초능력 쌤과 키우자, 공부힘!

국어 독해 P~6단계(전 7권)

- 하루 4쪽, 6주 완성
- 국어 독해 능력과 어휘 능력을 한 번에 향상
- 문학, 사회, 과학, 예술, 인물, 스포츠 지문 독해

비주얼씽킹 한국사 1~3권(전 3권)

- 한국사 개념부터 흐름까지 비주얼씽킹으로 완성
- 참쌤의 한국사 비주얼씽킹 동영상 강의
- 사건과 인물로 탐구하는 역사 논술

맞춤법+받아쓰기 1~2학년 1, 2학기(전 4권)

- 쉽고 빠르게 배우는 맞춤법 학습
- 매일 낱말과 문장 바르게 쓰기 연습
- 학년, 학기별 국어 교과서 어휘 학습

비주얼씽킹 과학 1~3권(전 3권)

- 교과서 핵심 개념을 비주얼씽킹으로 완성
- 참쌤의 과학 개념 비주얼씽킹 동영상 강의
- 사고력을 키우는 과학 탐구 퀴즈 / 토론

수학 연산 1~6학년 1, 2학기(전 12권)

- 정확한 연산 쓰기 학습
- 학년, 학기별 중요 단원 연산 강화 학습
- 문제해결력 향상을 위한 연산 적용 학습

★ 연산 특화 교재

- 구구단(1~2학년), 시계·달력(1~2학년), 분수(4~5학년)

급수 한자 8급, 7급, 6급(전 3권)

- 하루 2쪽으로 쉽게 익히는 한자 학습
- 급수별 한 권으로 한자능력검정시험 완벽 대비
- 한자와 연계된 초등 교과서 어휘력 향상

초능력 수학 연산
학습 플래너

스스로 학습 계획을 세우고 달성하면서
수학 연산 실력 향상은 물론
연산을 적용하는 힘을 키울 수 있습니다.

DAY	공부한 날		확인	DAY	공부한 날		확인
01	월	일	☺☹	31	월	일	☺☹
02	월	일	☺☹	32	월	일	☺☹
03	월	일	☺☹	33	월	일	☺☹
04	월	일	☺☹	34	월	일	☺☹
05	월	일	☺☹	35	월	일	☺☹
06	월	일	☺☹	36	월	일	☺☹
07	월	일	☺☹	37	월	일	☺☹
08	월	일	☺☹	38	월	일	☺☹
09	월	일	☺☹	39	월	일	☺☹
10	월	일	☺☹	40	월	일	☺☹
11	월	일	☺☹	41	월	일	☺☹
12	월	일	☺☹	42	월	일	☺☹
13	월	일	☺☹	43	월	일	☺☹
14	월	일	☺☹	44	월	일	☺☹
15	월	일	☺☹	45	월	일	☺☹
16	월	일	☺☹	46	월	일	☺☹
17	월	일	☺☹	47	월	일	☺☹
18	월	일	☺☹	48	월	일	☺☹
19	월	일	☺☹	49	월	일	☺☹
20	월	일	☺☹	50	월	일	☺☹
21	월	일	☺☹	51	월	일	☺☹
22	월	일	☺☹	52	월	일	☺☹
23	월	일	☺☹	53	월	일	☺☹
24	월	일	☺☹	54	월	일	☺☹
25	월	일	☺☹	55	월	일	☺☹
26	월	일	☺☹	56	월	일	☺☹
27	월	일	☺☹	57	월	일	☺☹
28	월	일	☺☹	58	월	일	☺☹
29	월	일	☺☹	59	월	일	☺☹
30	월	일	☺☹	60	월	일	☺☹

이렇게 활용하세요.

공부한 날에 맞게 날짜를 쓰고
학습 결과에 맞추어 확인란에 체크합니다.

예

DAY	공부한 날		확인
01	1 월	2 일	☺☹

초능력 수학 연산 칸 노트 활용법

중학교, 고등학교에서도 초등학교 때 배운 수학 연산을 바탕으로 새로운 지식을 배우게 됩니다.
수학 연산에서 가장 중요한 것은 정확성입니다.
계산 실수를 하지 않는 습관을 들이는 것이 가장 중요합니다.

① 단계 바른 계산 원리 이해

원리 단계에서 칸 노트에 제시된 문제를 해결하면서 바른 계산 원리를 이해합니다.

② 단계 바른 계산 연습

연습 단계에서 제시된 가로셈 문제를 직접 **정확성 UP!** 칸 노트에 세로셈으로 옮겨 쓰고,
자릿값에 맞추어 계산하면서 바른 계산을 연습합니다.

③ 단계 적용 문제 해결

적용 단계에서 제시된 적용 문제를 가로셈으로 나타낸 다음 다시 **정확성 UP!** 칸 노트에
세로셈으로 옮겨 쓰고, 자릿값에 맞추어 계산하면서 문제해결력을 강화합니다.

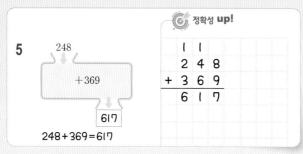

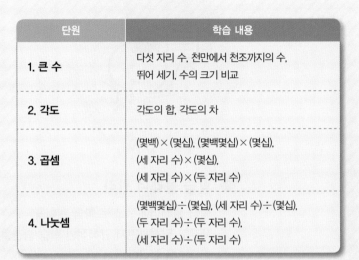

이런 점이 좋아요!

학습 플래너 관리

학습 플래너에 스스로 학습 계획을
세우고 달성하면서 규칙적인 학습 습관을
키우도록 합니다.

특화 단원 집중 강화 학습

학년, 학기별 중요한 연산 단원을 집중 강화
학습할 수 있도록 구성하여 연산력을
완성합니다.

정확성을 길러주는 연산 쓰기 연습

기계적으로 단순 반복하는 연산 학습이 아닌
칸 노트를 활용하여 스스로 정확하게 쓰는
연습에 집중하도록 합니다.

연산 능력을 문제에 적용하는 학습

연산을 실전 문제에 적용하여 풀어볼 수 있어
연산력 뿐만 아니라 수학 실력도 향상시킵니다.

이렇게 구성되어 있어요!

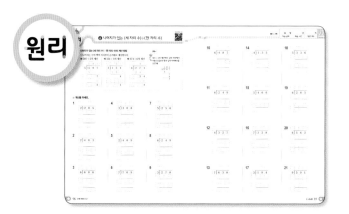

원리

학습 내용별 연산 원리를 문제로 설명하여
계산 원리를 스스로 익힙니다.

QR코드를 스마트폰으로 찍으면
연산 원리 동영상 강의를 무료로
학습할 수 있습니다.

연산 원리
동영상 강의

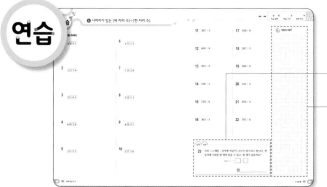

연습

학습 내용별 원리를 토대로 문제를 해결하면서
연습을 충분히 합니다.

실력 up 연산이 적용되는 실전 문제를
해결하면서 수학 실력을 키웁니다.

정확성 up! 칸 노트를 활용하여 자릿값에 맞추어
문제를 쓰고 해결하면서
정확성을 높입니다.

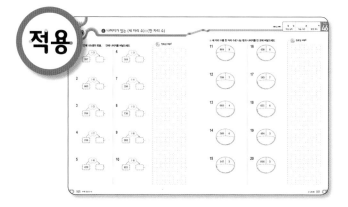

적용

학습 내용별 충분히 연습한 연산 원리를
유연하게 조작하여 스스로 문제를 해결하는
능력을 키웁니다.

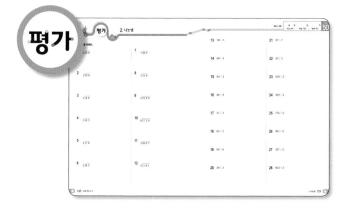

평가

학습 내용별 연습과 적용에서 학습한 내용을
토대로 한 단원의 내용을 종합적으로
확인합니다.

차례

1 곱셈

강화

📖 학습관리 **tip** 맨 앞장의 학습 플래너를 이용하여 학습 스케줄을 관리하도록 하세요!

원리 동영상 강의

❶ 올림이 없는 (세 자리 수)×(한 자리 수)

◎ 올림이 없는 (세 자리 수)×(한 자리 수)의 계산 방법

일의 자리, 십의 자리, 백의 자리의 순서로 곱을 구합니다.

예 124×2의 계산

```
      1  2  4       ① 4×2=8
   ×        2       ② 2×2=4
      2  4  8       ③ 1×2=2
      ③  ②  ①
```

> 뿜뿜이
>
> 일의 자리부터 순서대로 곱한 다음 각 자리에 곱을 쓰면 돼!

∷ 계산을 하세요.

1
```
      2  1  3
   ×        3
```

6
```
      4  1  1
   ×        2
```

2
```
      3  2  1
   ×        2
```

7
```
      2  2  1
   ×        4
```

3
```
      1  1  2
   ×        4
```

8
```
      1  3  1
   ×        3
```

4
```
      3  1  0
   ×        3
```

9
```
      4  1  3
   ×        2
```

5
```
      4  0  2
   ×        2
```

10
```
      1  1  4
   ×        2
```

11

```
      3 2 4
×         2
─────────────
```

12

```
      1 1 3
×         2
─────────────
```

13

```
      2 2 1
×         3
─────────────
```

14

```
      4 1 4
×         2
─────────────
```

15

```
      1 0 1
×         6
─────────────
```

16

```
      1 1 2
×         2
─────────────
```

17

```
      2 1 3
×         2
─────────────
```

18

```
      3 4 1
×         2
─────────────
```

19

```
      2 3 1
×         3
─────────────
```

20

```
      1 4 2
×         2
─────────────
```

21

```
      3 1 2
×         2
─────────────
```

22

```
      1 2 1
×         4
─────────────
```

23

```
      4 4 3
×         2
─────────────
```

24

```
      3 0 1
×         3
─────────────
```

① 올림이 없는 (세 자리 수)×(한 자리 수)

✿✿ 계산을 하세요.

1
```
    3 1 3
  ×     2
```

2
```
    1 2 3
  ×     2
```

3
```
    3 1 2
  ×     3
```

4
```
    1 1 1
  ×     8
```

5
```
    2 1 1
  ×     3
```

6
```
    4 2 3
  ×     2
```

7
```
    2 0 4
  ×     2
```

8
```
    2 1 2
  ×     4
```

9
```
    1 1 1
  ×     7
```

10
```
    4 3 1
  ×     2
```

11
```
    4 1 2
  ×     2
```

12
```
    1 1 2
  ×     3
```

13
```
    3 1 4
  ×     2
```

14
```
    4 2 2
  ×     2
```

15 211×4

16 101×9

17 331×3

18 234×2

19 141×2

20 122×3

21 330×3

22 224×2

23 311×3

24 333×2

25 404×2

26 113×3

정확성 **up!**

27 클립이 한 상자에 223개씩 들어 있습니다. 2상자에 들어 있는 클립은 모두 몇 개일까요?

$$223 \times 2 = \boxed{}$$

답 _____

1. 곱셈 **11**

① 올림이 없는 (세 자리 수)×(한 자리 수)

:: 빈 곳에 알맞은 수를 써넣으세요.

정확성 up!

1
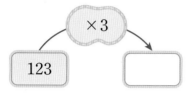
×3
123

6
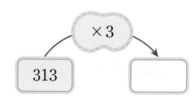
×3
313

2
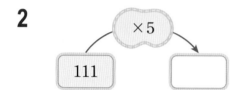
×5
111

7
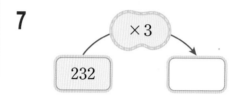
×3
232

3
×2
243

8
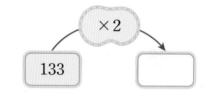
×2
133

4
×2
403

9
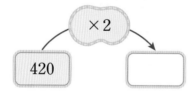
×2
420

5
×2
241

10
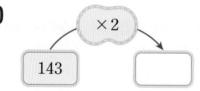
×2
143

:: □ 안에 알맞은 수를 써넣으세요.

11
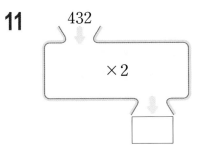
432
×2

12
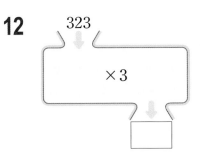
323
×3

13
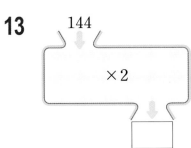
144
×2

14
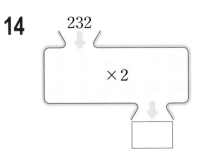
232
×2

15
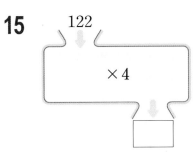
122
×4

16
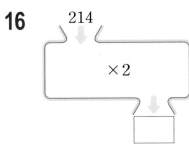
214
×2

17
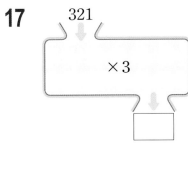
321
×3

18
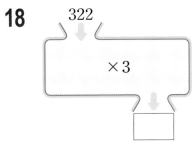
322
×3

원리

② 올림이 한 번 있는 (세 자리 수)×(한 자리 수) ①

◉ 일의 자리에서 올림이 있는 (세 자리 수)×(한 자리 수)의 계산 방법

일의 자리, 십의 자리, 백의 자리의 순서로 곱을 구합니다. 이때 일의 자리의 곱이 10보다 크거나 같으면 십의 자리로 올림하여 십의 자리의 곱에 더합니다.

예 213×4의 계산

① → 3×4=12에서 올림한 10을 십의 자리 위에 1로 표시

$$
\begin{array}{ccc}
 & 2 & 1 & 3 \\
\times & & & 4 \\
\hline
 & 8 & 5 & 2 \\
 & ③ & ② & ①
\end{array}
$$

① 3×4=①2

② 1×4=4 ➡ ①+4=5
　　　　　　└→ 일의 자리에서 올림한 수를 더합니다.

③ 2×4=8

조심이

일의 자리에서 올림한 수를 잊으면 안 돼!

$$
\begin{array}{ccc}
 & 2 & 1 & 3 \\
\times & & & 4 \\
\hline
 & 8 & 4 & 2
\end{array}
$$

⠿ 계산을 하세요.

1
$$
\begin{array}{ccc}
 & 3 & 2 & 8 \\
\times & & & 3 \\
\hline
\end{array}
$$

2
$$
\begin{array}{ccc}
 & 2 & 0 & 6 \\
\times & & & 4 \\
\hline
\end{array}
$$

3
$$
\begin{array}{ccc}
 & 4 & 1 & 9 \\
\times & & & 2 \\
\hline
\end{array}
$$

4
$$
\begin{array}{ccc}
 & 1 & 1 & 6 \\
\times & & & 6 \\
\hline
\end{array}
$$

5
$$
\begin{array}{ccc}
 & 4 & 3 & 9 \\
\times & & & 2 \\
\hline
\end{array}
$$

6
$$
\begin{array}{ccc}
 & 2 & 2 & 8 \\
\times & & & 3 \\
\hline
\end{array}
$$

7
$$
\begin{array}{ccc}
 & 3 & 1 & 6 \\
\times & & & 2 \\
\hline
\end{array}
$$

8
$$
\begin{array}{ccc}
 & 2 & 2 & 3 \\
\times & & & 4 \\
\hline
\end{array}
$$

9

```
    1 2 8
×       2
─────────
```

10

```
    1 1 4
×       7
─────────
```

11

```
    2 1 8
×       3
─────────
```

12

```
    3 3 9
×       2
─────────
```

13

```
    1 4 8
×       2
─────────
```

14

```
    3 1 7
×       3
─────────
```

15

```
    1 1 9
×       3
─────────
```

16

```
    2 1 4
×       3
─────────
```

17

```
    4 2 5
×       2
─────────
```

18

```
    1 2 4
×       3
─────────
```

19

```
    2 1 8
×       4
─────────
```

20

```
    4 3 8
×       2
─────────
```

21

```
    3 2 5
×       3
─────────
```

22

```
    4 4 5
×       2
─────────
```

❷ 올림이 한 번 있는 (세 자리 수)×(한 자리 수) ①

∷ 계산을 하세요.

1
```
    1 2 7
×     2
```

2
```
    3 4 8
×     2
```

3
```
    2 2 4
×     3
```

4
```
    4 1 6
×     2
```

5
```
    1 3 8
×     2
```

6
```
    3 1 9
×     3
```

7
```
    1 1 6
×     3
```

8
```
    3 0 4
×     3
```

9
```
    1 4 6
×     2
```

10
```
    4 2 7
×     2
```

11
```
    3 3 7
×     2
```

12
```
    2 1 6
×     4
```

13
```
    4 3 5
×     2
```

14
```
    2 4 9
×     2
```

15 207×3

16 129×3

17 236×2

18 426×2

19 219×3

20 107×7

21 145×2

22 226×3

23 405×2

24 314×3

25 248×2

26 437×2

정확성 up!

실력 up

27 길이가 108 cm인 통나무가 5개 있습니다. 이 통나무를 겹치지 않게 한 줄로 이으면 전체 길이는 몇 cm가 될까요?

$$108 \times 5 = \boxed{}$$

 답 _____

적용

❷ 올림이 한 번 있는 (세 자리 수)×(한 자리 수) ①

:: □ 안에 알맞은 수를 써넣으세요.

1 214 → ×4 → ☐

2 113 → ×5 → ☐

3 418 → ×2 → ☐

4 315 → ×3 → ☐

5 226 → ×2 → ☐

6 447 → ×2 → ☐

7 225 → ×3 → ☐

8 327 → ×3 → ☐

9 436 → ×2 → ☐

10 329 → ×3 → ☐

정확성 **up!**

:: 빈 곳에 알맞은 수를 써넣으세요.

11

16

12
217 ×4

17
147 ×2

13
429 ×2

18
238 ×2

14
336 ×2

19
139 ×2

15
428 ×2

20
346 ×2

🎯 정확성 up!

원리 ❸ 올림이 한 번 있는 (세 자리 수)×(한 자리 수) ②

○ **십의 자리에서 올림이 있는 (세 자리 수)×(한 자리 수)의 계산 방법**

일의 자리, 십의 자리, 백의 자리의 순서로 곱을 구합니다. 이때 십의 자리의 곱이 10보다 크거나 같으면 백의 자리로 올림하여 백의 자리의 곱에 더합니다.

조심이

십의 자리에서 올림한 수를 잊으면 안 돼!

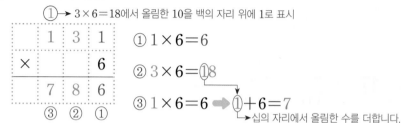

㉖ 131×6의 계산

① → 3×6=18에서 올림한 10을 백의 자리 위에 1로 표시

```
  1 3 1
×     6
  7 8 6
  ③ ② ①
```

① 1×6=6

② 3×6=⑴8

③ 1×6=6 ➡ ⑴+6=7
└ 십의 자리에서 올림한 수를 더합니다.

▪▪ 계산을 하세요.

1
```
    2 7 1
×       2
```

5
```
    1 8 3
×       3
```

2
```
    3 9 0
×       2
```

6
```
    4 8 0
×       2
```

3
```
    1 9 1
×       5
```

7
```
    4 6 2
×       2
```

4
```
    4 5 1
×       2
```

8
```
    3 8 4
×       2
```

9

$$\begin{array}{r} 1\ 8\ 2 \\ \times \qquad 3 \\ \hline \end{array}$$

10

$$\begin{array}{r} 1\ 2\ 0 \\ \times \qquad 8 \\ \hline \end{array}$$

11

$$\begin{array}{r} 3\ 6\ 1 \\ \times \qquad 2 \\ \hline \end{array}$$

12

$$\begin{array}{r} 4\ 9\ 2 \\ \times \qquad 2 \\ \hline \end{array}$$

13

$$\begin{array}{r} 1\ 7\ 2 \\ \times \qquad 3 \\ \hline \end{array}$$

14

$$\begin{array}{r} 2\ 9\ 3 \\ \times \qquad 2 \\ \hline \end{array}$$

15

$$\begin{array}{r} 1\ 3\ 1 \\ \times \qquad 5 \\ \hline \end{array}$$

16

$$\begin{array}{r} 2\ 3\ 1 \\ \times \qquad 4 \\ \hline \end{array}$$

17

$$\begin{array}{r} 2\ 6\ 3 \\ \times \qquad 3 \\ \hline \end{array}$$

18

$$\begin{array}{r} 1\ 4\ 2 \\ \times \qquad 4 \\ \hline \end{array}$$

19

$$\begin{array}{r} 4\ 7\ 1 \\ \times \qquad 2 \\ \hline \end{array}$$

20

$$\begin{array}{r} 2\ 8\ 4 \\ \times \qquad 2 \\ \hline \end{array}$$

21

$$\begin{array}{r} 3\ 7\ 4 \\ \times \qquad 2 \\ \hline \end{array}$$

22

$$\begin{array}{r} 4\ 6\ 0 \\ \times \qquad 2 \\ \hline \end{array}$$

:: 계산을 하세요.

1
```
      1 6 0
×         6
```

8
```
      2 7 3
×         3
```

2
```
      3 8 3
×         2
```

9
```
      1 5 2
×         3
```

3
```
      4 7 3
×         2
```

10
```
      3 6 3
×         2
```

4
```
      2 5 4
×         2
```

11
```
      3 9 2
×         2
```

5
```
      4 8 2
×         2
```

12
```
      2 4 1
×         4
```

6
```
      3 5 4
×         2
```

13
```
      4 9 3
×         2
```

7
```
      1 8 4
×         2
```

14
```
      2 6 1
×         3
```

15 162×3

16 371×2

17 242×3

18 461×2

19 353×2

20 282×2

21 141×5

22 272×2

23 483×2

24 251×3

25 452×2

26 491×2

정확성 **up!**

실력 up

27 연재의 키는 140 cm입니다. 연재 키의 7배인 나무의 높이는 몇 cm일까요?

$$140 \times 7 = \boxed{}$$

답 _____

❸ 올림이 한 번 있는 (세 자리 수)×(한 자리 수) ②

:: 빈 곳에 알맞은 수를 써넣으세요.

1 143 — ×3 → ☐

6 454 — ×2 → ☐

2 351 — ×2 → ☐

7 262 — ×3 → ☐

3 463 — ×2 → ☐

8 151 — ×6 → ☐

4 253 — ×3 → ☐

9 372 — ×2 → ☐

5 264 — ×2 → ☐

10 450 — ×2 → ☐

정확성 **up!**

빈 곳에 알맞은 수를 써넣으세요.

11
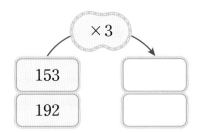

12
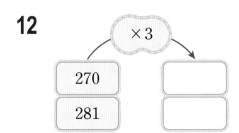

13
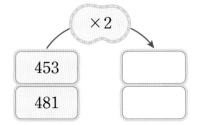

14
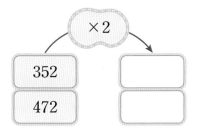

15
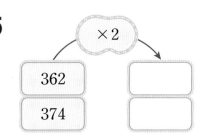

16
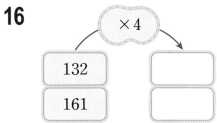

17
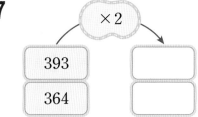

18
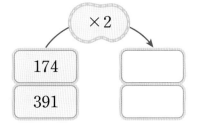

정확성 up!

원리

❹ 올림이 두 번 있는 (세 자리 수)×(한 자리 수)

원리 동영상 강의

○ **십, 백의 자리에서 올림이 있는 (세 자리 수)×(한 자리 수)의 계산 방법**

일의 자리, 십의 자리, 백의 자리의 순서로 곱을 구합니다. 이때 십의 자리의 곱이 10보다 크거나 같으면 백의 자리로 올림하여 백의 자리의 곱에 더하고, 백의 자리의 곱이 10보다 크거나 같으면 천의 자리로 올림합니다.

뿅뿅이

십의 자리에서 백의 자리로 올림한 수 1은 100을 나타내. 그리고 맨 앞자리에서 올림이 있으면 올림으로 표시하지 않고 그대로 쓰면 돼.

예 431×4의 계산

①→ 3×4=12에서 올림한 10을 백의 자리 위에 1로 표시

```
    4  3  1
 ×        4
 1  7  2  4
 ③  ②  ①
```

① 1×4=4

② 3×4=①2

③ 4×4=16 ➡ ①+16=17
    └→ 십의 자리에서 올림한 수를 더합니다.

⠿ 계산을 하세요.

1
```
    2  7  1
 ×        5
```

2
```
    3  6  3
 ×        3
```

3
```
    6  4  0
 ×        3
```

4
```
    7  3  2
 ×        4
```

5
```
    8  5  1
 ×        5
```

6
```
    9  3  2
 ×        4
```

7
```
    5  6  1
 ×        4
```

8
```
    3  7  2
 ×        3
```

9

```
    3 5 1
×       5
```

10

```
    5 9 2
×       4
```

11

```
    3 8 2
×       4
```

12

```
    6 5 1
×       5
```

13

```
    8 7 2
×       4
```

14

```
    5 4 1
×       6
```

15

```
    2 9 0
×       5
```

16

```
    4 8 3
×       3
```

17

```
    2 9 1
×       6
```

18

```
    7 6 3
×       2
```

19

```
    8 2 0
×       9
```

20

```
    6 7 2
×       2
```

21

```
    9 4 3
×       3
```

22

```
    5 6 1
×       2
```

④ 올림이 두 번 있는 (세 자리 수)×(한 자리 수)

:: 계산을 하세요.

1
```
    3 5 1
  ×     5
```

2
```
    6 8 3
  ×     3
```

3
```
    7 2 1
  ×     8
```

4
```
    9 7 2
  ×     2
```

5
```
    8 3 1
  ×     6
```

6
```
    6 6 3
  ×     2
```

7
```
    9 5 2
  ×     2
```

8
```
    4 9 2
  ×     3
```

9
```
    7 5 0
  ×     6
```

10
```
    5 8 2
  ×     3
```

11
```
    6 2 1
  ×     6
```

12
```
    7 7 4
  ×     2
```

13
```
    8 4 3
  ×     3
```

14
```
    3 6 2
  ×     4
```

15 432×4

16 632×4

17 961×6

18 743×3

19 842×4

20 462×4

21 690×2

22 574×2

23 860×7

24 421×5

25 984×2

26 281×6

정확성 **up!**

 실력 **up**

27 호진이가 사고 싶은 펜은 한 자루에 940원입니다. 이 펜을 5자루 사려면 얼마가 필요할까요?

$$940 \times 5 = \boxed{}$$

답 _____

적용

❹ 올림이 두 번 있는 (세 자리 수)×(한 자리 수)

:: 두 수의 곱을 빈 곳에 써넣으세요.

 정확성 up!

1
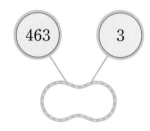

2
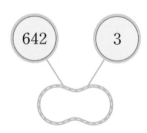

3
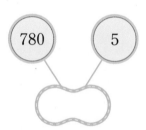

4
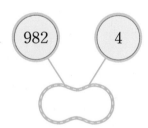

5
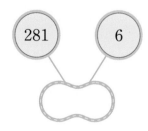

6
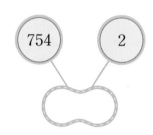

7
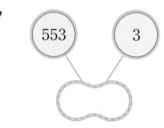

8
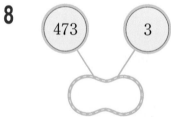

9
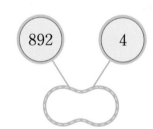

10
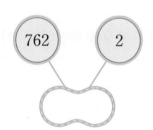

∷ 두 수의 곱을 빈 곳에 써넣으세요.

11
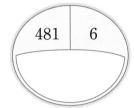

16
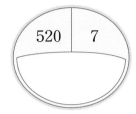

12
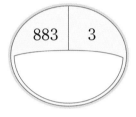

17
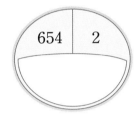

13
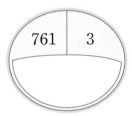

18
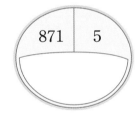

14
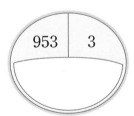

19

15

20
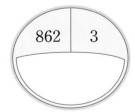

정확성 **up!**

원리 ❺ (몇십)×(몇십)

◎ **(몇십)×(몇십)의 계산 방법**

(몇)×(몇)을 계산하고 곱의 뒤에 0을 2개 더 붙여 줍니다.

예) 20×30의 계산

10배

$$2 \times 3 = 6 \implies 20 \times 30 = 600$$

10배

100배

	2	0
×	3	0
6	0	0

0을 2개 씁니다.

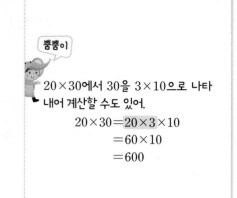

뿜뿜이

20×30에서 30을 3×10으로 나타내어 계산할 수도 있어.

$$20 \times 30 = 20 \times 3 \times 10$$
$$= 60 \times 10$$
$$= 600$$

❀❀ ☐ 안에 알맞은 수를 써넣으세요.

1

10배

$$1 \times 4 = 4 \implies 10 \times 40 = \boxed{}$$

10배

$\boxed{}$ 배

5

10배

$$3 \times 3 = 9 \implies 30 \times 30 = \boxed{}$$

10배

$\boxed{}$ 배

2

10배

$$2 \times 4 = 8 \implies 20 \times 40 = \boxed{}$$

10배

$\boxed{}$ 배

6

10배

$$4 \times 6 = 24 \implies 40 \times 60 = \boxed{}$$

10배

$\boxed{}$ 배

3

10배

$$7 \times 2 = 14 \implies 70 \times 20 = \boxed{}$$

10배

$\boxed{}$ 배

7

10배

$$5 \times 4 = 20 \implies 50 \times 40 = \boxed{}$$

10배

$\boxed{}$ 배

4

10배

$$6 \times 7 = 42 \implies 60 \times 70 = \boxed{}$$

10배

$\boxed{}$ 배

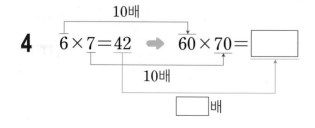

8

10배

$$8 \times 3 = 24 \implies 80 \times 30 = \boxed{}$$

10배

$\boxed{}$ 배

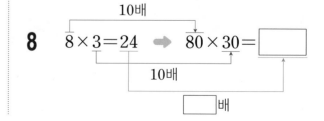

계산을 하세요.

9

```
      1  0
×     9  0
```

10

```
      8  0
×     1  0
```

11

```
      9  0
×     6  0
```

12

```
      3  0
×     9  0
```

13

```
      2  0
×     6  0
```

14

```
      7  0
×     3  0
```

15

```
      5  0
×     7  0
```

16

```
      3  0
×     2  0
```

17

```
      1  0
×     7  0
```

18

```
      5  0
×     9  0
```

19

```
      8  0
×     4  0
```

20

```
      6  0
×     3  0
```

21

```
      5  0
×     6  0
```

22

```
      9  0
×     9  0
```

:: 계산을 하세요.

1
```
      3 0
  ×   1 0
```

2
```
      1 0
  ×   5 0
```

3
```
      1 0
  ×   6 0
```

4
```
      8 0
  ×   8 0
```

5
```
      5 0
  ×   5 0
```

6
```
      2 0
  ×   8 0
```

7
```
      3 0
  ×   6 0
```

8
```
      7 0
  ×   9 0
```

9
```
      4 0
  ×   3 0
```

10
```
      2 0
  ×   9 0
```

11
```
      5 0
  ×   3 0
```

12
```
      6 0
  ×   6 0
```

13
```
      8 0
  ×   5 0
```

14
```
      4 0
  ×   4 0
```

15 70×40

16 90×30

17 40×90

18 60×80

19 90×70

20 70×10

21 20×50

22 90×60

23 70×80

24 30×50

25 80×20

26 50×80

정확성 up!

실력 up

27 나무 심기 행사를 위해 옮겨 심을 어린나무를 30그루씩 40줄 준비했습니다. 준비한 어린나무는 모두 몇 그루일까요?

$$30 \times 40 = \boxed{}$$

답 _____

적용

⑤ (몇십)×(몇십)

::두 수의 곱을 빈 곳에 써넣으세요.

1
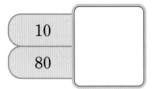
10
80

6
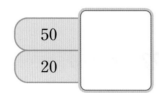
50
20

2
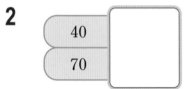
40
70

7
60
10

3
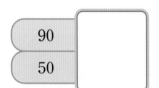
90
50

8
20
70

4
30
80

9
70
70

5
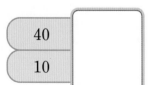
40
10

10
30
70

:: 빈 곳에 알맞은 수를 써넣으세요.

11
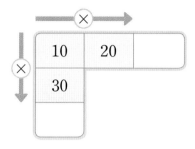

15
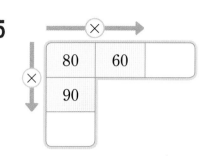

12
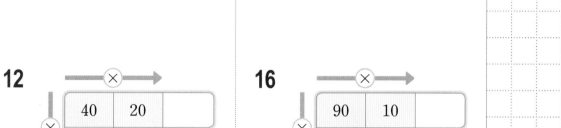

16
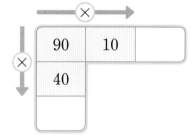

13
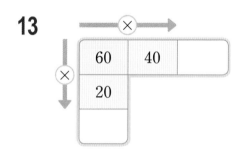

17

14
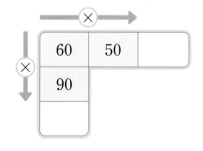

18
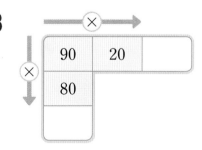

원리

❻ (몇십몇)×(몇십)

원리 동영상 강의

○ (몇십몇)×(몇십)의 계산 방법

(몇십몇)×(몇)을 계산하고 곱의 뒤에 0을 1개 더 붙여 줍니다.

㉎ 13×20의 계산

$$13 \times 2 = 26 \implies 13 \times 20 = 260$$

10배

10배

	1	3
×	2	0
2	6	0

0을 1개 씁니다.

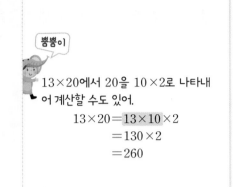

뿅뿅이

13×20에서 20을 10×2로 나타내어 계산할 수도 있어.

$$13 \times 20 = 13 \times 10 \times 2$$
$$= 130 \times 2$$
$$= 260$$

□ 안에 알맞은 수를 써넣으세요.

1 10배
$$21 \times 4 = 84 \implies 21 \times 40 = \boxed{}$$
□배

2 10배
$$34 \times 2 = 68 \implies 34 \times 20 = \boxed{}$$
□배

3 10배
$$11 \times 8 = 88 \implies 11 \times 80 = \boxed{}$$
□배

4 10배
$$31 \times 3 = 93 \implies 31 \times 30 = \boxed{}$$
□배

5 10배
$$14 \times 6 = 84 \implies 14 \times 60 = \boxed{}$$
□배

6 10배
$$22 \times 3 = 66 \implies 22 \times 30 = \boxed{}$$
□배

7 10배
$$42 \times 2 = 84 \implies 42 \times 20 = \boxed{}$$
□배

8 10배
$$12 \times 4 = 48 \implies 12 \times 40 = \boxed{}$$
□배

9 10배
$$15 \times 9 = 135 \implies 15 \times 90 = \boxed{}$$
□배

10 10배
$$56 \times 2 = 112 \implies 56 \times 20 = \boxed{}$$
□배

:: 계산을 하세요.

11
```
    3 2
  ×  7 0
```

12
```
    3 1
  ×  5 0
```

13
```
    2 6
  ×  9 0
```

14
```
    5 3
  ×  4 0
```

15
```
    7 2
  ×  4 0
```

16
```
    4 9
  ×  3 0
```

17
```
    9 5
  ×  2 0
```

18
```
    2 3
  ×  8 0
```

19
```
    5 4
  ×  6 0
```

20
```
    2 4
  ×  7 0
```

21
```
    9 3
  ×  2 0
```

22
```
    4 5
  ×  7 0
```

23
```
    6 1
  ×  6 0
```

24
```
    3 3
  ×  5 0
```

:: 계산을 하세요.

1
```
     1 6
×    3 0
```

2
```
     4 5
×    2 0
```

3
```
     5 7
×    3 0
```

4
```
     4 8
×    7 0
```

5
```
     7 3
×    6 0
```

6
```
     3 3
×    8 0
```

7
```
     8 1
×    4 0
```

8
```
     2 7
×    5 0
```

9
```
     6 5
×    7 0
```

10
```
     2 5
×    6 0
```

11
```
     3 6
×    5 0
```

12
```
     7 1
×    4 0
```

13
```
     5 8
×    3 0
```

14
```
     7 5
×    7 0
```

15 39×70

16 92×40

17 76×30

18 47×50

19 63×90

20 87×50

21 82×20

22 64×30

23 94×50

24 43×60

25 84×40

26 38×30

정확성 **up!**

실력 **up**

27 주머니 한 개에 구슬이 18개씩 들어 있습니다. 주머니 60개에 들어 있는 구슬은 모두 몇 개일까요?

$$18 \times 60 = \boxed{}$$

답 _____

❻ (몇십몇)×(몇십)

:: 빈 곳에 알맞은 수를 써넣으세요.

1

×	30
14	
19	

5

×	70
86	
83	

2

×	40
32	
35	

6

×	80
62	
67	

3

×	20
41	
46	

7

×	60
96	
98	

4

×	50
57	
52	

8

×	90
17	
13	

:: 빈 곳에 알맞은 수를 써넣으세요.

9

17	70	
28	40	

13

97	30	
68	20	

10

44	30	
81	60	

14

51	70	
69	30	

11

74	40	
55	20	

15

85	30	
77	50	

12

91	30	
62	40	

16

72	20	
88	50	

정확성 **up!**

❼ (몇)×(몇십몇)

원리 동영상 강의

○ **(몇)×(몇십몇)의 계산 방법**

곱하는 수 몇십몇을 몇과 몇십으로 나누어 차례로 곱합니다. 올림이 있을 때에는 바로 윗자리로 올림하여 계산합니다.

예 6×23의 계산

① → 6×3=18에서 올림한 10을 십의 자리 위에 1로 표시

$$
\begin{array}{ccc}
 & & 6 \\
\times & 2 & 3 \\
\hline
1 & 3 & 8 \\
 & ② & ①
\end{array}
$$

① 6×3=⑪8
② 6×2=12 ➡ ①+12=13
↳ 일의 자리에서 올림한 수를 더합니다.

> **뿡뿡이**
> 6×23에서 23을 3+20으로 생각하면 6×3과 6×20을 각각 계산한 후 두 곱을 더한 것과 같아.

∷ 계산을 하세요.

1
$$
\begin{array}{ccc}
 & & 2 \\
\times & 5 & 2 \\
\hline
\end{array}
$$

2
$$
\begin{array}{ccc}
 & & 3 \\
\times & 7 & 6 \\
\hline
\end{array}
$$

3
$$
\begin{array}{ccc}
 & & 4 \\
\times & 3 & 9 \\
\hline
\end{array}
$$

4
$$
\begin{array}{ccc}
 & & 6 \\
\times & 2 & 1 \\
\hline
\end{array}
$$

5
$$
\begin{array}{ccc}
 & & 5 \\
\times & 8 & 4 \\
\hline
\end{array}
$$

6
$$
\begin{array}{ccc}
 & & 8 \\
\times & 6 & 3 \\
\hline
\end{array}
$$

7
$$
\begin{array}{ccc}
 & & 5 \\
\times & 2 & 9 \\
\hline
\end{array}
$$

8
$$
\begin{array}{ccc}
 & & 8 \\
\times & 3 & 4 \\
\hline
\end{array}
$$

9

$$\begin{array}{r} 3 \\ \times\ 4\ 8 \\ \hline \end{array}$$

10

$$\begin{array}{r} 3 \\ \times\ 4\ 5 \\ \hline \end{array}$$

11

$$\begin{array}{r} 6 \\ \times\ 1\ 7 \\ \hline \end{array}$$

12

$$\begin{array}{r} 5 \\ \times\ 5\ 7 \\ \hline \end{array}$$

13

$$\begin{array}{r} 9 \\ \times\ 3\ 6 \\ \hline \end{array}$$

14

$$\begin{array}{r} 3 \\ \times\ 3\ 7 \\ \hline \end{array}$$

15

$$\begin{array}{r} 4 \\ \times\ 9\ 6 \\ \hline \end{array}$$

16

$$\begin{array}{r} 9 \\ \times\ 3\ 1 \\ \hline \end{array}$$

17

$$\begin{array}{r} 4 \\ \times\ 5\ 2 \\ \hline \end{array}$$

18

$$\begin{array}{r} 7 \\ \times\ 2\ 8 \\ \hline \end{array}$$

19

$$\begin{array}{r} 2 \\ \times\ 6\ 9 \\ \hline \end{array}$$

20

$$\begin{array}{r} 6 \\ \times\ 8\ 3 \\ \hline \end{array}$$

21

$$\begin{array}{r} 8 \\ \times\ 7\ 4 \\ \hline \end{array}$$

22

$$\begin{array}{r} 3 \\ \times\ 6\ 5 \\ \hline \end{array}$$

❼ (몇)×(몇십몇)

:: 계산을 하세요.

1
$$\begin{array}{r} 5 \\ \times\ 5\ 1 \\ \hline \end{array}$$

2
$$\begin{array}{r} 4 \\ \times\ 4\ 3 \\ \hline \end{array}$$

3
$$\begin{array}{r} 4 \\ \times\ 3\ 7 \\ \hline \end{array}$$

4
$$\begin{array}{r} 3 \\ \times\ 5\ 4 \\ \hline \end{array}$$

5
$$\begin{array}{r} 2 \\ \times\ 9\ 6 \\ \hline \end{array}$$

6
$$\begin{array}{r} 8 \\ \times\ 1\ 8 \\ \hline \end{array}$$

7
$$\begin{array}{r} 5 \\ \times\ 3\ 4 \\ \hline \end{array}$$

8
$$\begin{array}{r} 2 \\ \times\ 8\ 6 \\ \hline \end{array}$$

9
$$\begin{array}{r} 7 \\ \times\ 4\ 2 \\ \hline \end{array}$$

10
$$\begin{array}{r} 8 \\ \times\ 1\ 6 \\ \hline \end{array}$$

11
$$\begin{array}{r} 9 \\ \times\ 2\ 8 \\ \hline \end{array}$$

12
$$\begin{array}{r} 3 \\ \times\ 3\ 9 \\ \hline \end{array}$$

13
$$\begin{array}{r} 6 \\ \times\ 8\ 1 \\ \hline \end{array}$$

14
$$\begin{array}{r} 2 \\ \times\ 9\ 7 \\ \hline \end{array}$$

15 5×58

16 7×26

17 2×79

18 3×44

19 5×36

20 4×17

21 3×85

22 7×48

23 2×77

24 9×72

25 7×32

26 5×75

🎯 정확성 **up!**

실력 **up**

27 운동장에 학생들이 한 줄에 8명씩 29줄로 서 있습니다. 줄을 선 학생은 모두 몇 명일까요?

$$8 \times 29 = \boxed{}$$

답 _____

❼ (몇)×(몇십몇)

계산 결과를 찾아 이으세요.

1
7×19 • • 132
9×15 • • 133
6×22 • • 135

5
5×74 • • 413
7×59 • • 370
8×46 • • 368

2
6×41 • • 246
4×53 • • 186
3×62 • • 212

6
9×14 • • 168
8×21 • • 476
7×68 • • 126

3
3×91 • • 438
4×82 • • 328
6×73 • • 273

7
3×87 • • 376
4×94 • • 261
5×93 • • 465

4
6×24 • • 144
4×61 • • 244
3×92 • • 276

8
7×27 • • 356
6×71 • • 426
4×89 • • 189

⠿ 수 카드에 적힌 두 수의 곱을 구하세요.

 정확성 **up!**

9 | 8 | 13 |

(   )

14 | 6 | 88 |

(   )

10 | 9 | 12 |

(   )

15 | 2 | 78 |

(   )

11 | 3 | 47 |

(   )

16 | 7 | 64 |

(   )

12 | 4 | 92 |

(   )

17 | 6 | 51 |

(   )

13 | 7 | 55 |

(   )

18 | 8 | 67 |

(   )

원리

❽ 올림이 한 번 있는 (몇십몇)×(몇십몇)

○ 올림이 한 번 있는 (몇십몇)×(몇십몇)의 계산 방법

곱하는 수 몇십몇을 몇과 몇십으로 나누어 차례로 곱합니다. 올림이 있을 때에는 바로 윗자리로 올림하여 계산합니다.

㉘ 43×13의 계산

$$43 \times 13 = 43 \times 10 + 43 \times 3$$
$$= 430 + 129$$
$$= 559$$

		4	3	
	×	1	3	
	1	2	9	…43×3
	4	3	0	…43×10
	5	5	9	

뽕뽕이

43×13에서 13을 3+10으로 생각하면 43×3과 43×10을 각각 계산한 후 두 곱을 더한 것과 같아.

✦ ☐ 안에 알맞은 수를 써넣으세요.

1 $35 \times 12 = 35 \times \boxed{} + 35 \times \boxed{}$
$= \boxed{} + \boxed{}$
$= \boxed{}$

2 $25 \times 31 = 25 \times \boxed{} + 25 \times \boxed{}$
$= \boxed{} + \boxed{}$
$= \boxed{}$

3 $12 \times 46 = 12 \times \boxed{} + 12 \times \boxed{}$
$= \boxed{} + \boxed{}$
$= \boxed{}$

4 $23 \times 34 = 23 \times \boxed{} + 23 \times \boxed{}$
$= \boxed{} + \boxed{}$
$= \boxed{}$

5 $14 \times 42 = 14 \times \boxed{} + 14 \times \boxed{}$
$= \boxed{} + \boxed{}$
$= \boxed{}$

6 $36 \times 21 = 36 \times \boxed{} + 36 \times \boxed{}$
$= \boxed{} + \boxed{}$
$= \boxed{}$

7 $17 \times 13 = 17 \times \boxed{} + 17 \times \boxed{}$
$= \boxed{} + \boxed{}$
$= \boxed{}$

8 $21 \times 47 = 21 \times \boxed{} + 21 \times \boxed{}$
$= \boxed{} + \boxed{}$
$= \boxed{}$

❖❖ 계산을 하세요.

9

$$
\begin{array}{r}
2\ 4 \\
\times\ 3\ 2 \\
\hline
\end{array}
$$

10

$$
\begin{array}{r}
5\ 1 \\
\times\ 1\ 9 \\
\hline
\end{array}
$$

11

$$
\begin{array}{r}
1\ 3 \\
\times\ 2\ 5 \\
\hline
\end{array}
$$

12

$$
\begin{array}{r}
1\ 9 \\
\times\ 1\ 4 \\
\hline
\end{array}
$$

13

$$
\begin{array}{r}
4\ 7 \\
\times\ 1\ 2 \\
\hline
\end{array}
$$

14

$$
\begin{array}{r}
2\ 9 \\
\times\ 3\ 1 \\
\hline
\end{array}
$$

15

$$
\begin{array}{r}
1\ 6 \\
\times\ 1\ 6 \\
\hline
\end{array}
$$

16

$$
\begin{array}{r}
5\ 1 \\
\times\ 1\ 8 \\
\hline
\end{array}
$$

17

$$
\begin{array}{r}
7\ 4 \\
\times\ 1\ 2 \\
\hline
\end{array}
$$

18

$$
\begin{array}{r}
4\ 2 \\
\times\ 1\ 3 \\
\hline
\end{array}
$$

연습

❽ 올림이 한 번 있는 (몇십몇)×(몇십몇)

☷ 계산을 하세요.

1
```
    1 7
×   1 5
```

2
```
    5 3
×   1 2
```

3
```
    1 3
×   3 4
```

4
```
    8 1
×   1 2
```

5
```
    2 3
×   4 3
```

6
```
    3 1
×   2 5
```

7
```
    1 2
×   7 3
```

8
```
    6 1
×   1 4
```

9
```
    4 5
×   2 1
```

10
```
    1 4
×   3 2
```

11
```
    4 2
×   2 3
```

12
```
    6 2
×   1 3
```

13 12×16

14 24×14

15 39×21

16 64×12

17 19×41

18 51×15

19 16×13

20 49×12

21 13×36

22 15×21

23 27×31

24 12×47

정확성 up!

실력 up

25 진우네 반 학생 24명은 지난달에 하루에 한 갑씩 13일 동안 우유를 마셨습니다. 진우네 반 학생들이 지난달에 마신 우유는 모두 몇 갑일까요?

$$24 \times 13 = \boxed{}$$

답 _____

❽ 올림이 한 번 있는 (몇십몇)×(몇십몇)

:: 계산 결과를 찾아 색칠하세요.

1

12×18		
206	216	226

6

41×23		
943	953	963

2

23×24		
532	542	552

7

83×12		
976	986	996

3

61×13		
693	793	893

8

19×51		
949	959	969

4

14×51		
714	814	914

9

52×14		
628	728	828

5

73×12		
876	776	676

10

13×26		
328	338	348

:: 빈 곳에 알맞은 수를 써넣으세요.

11

```
        14
   18   ×41
```

15

```
        31
   13   ×24
```

12

```
        53
   71   ×13
```

16

```
        14
   12   ×62
```

13

```
        61
   37   ×12
```

17

```
        12
   17   ×51
```

14

```
        72
   63   ×13
```

18

```
        41
   51   ×16
```

정확성 **up!**

원리

❾ 올림이 여러 번 있는 (몇십몇)×(몇십몇)

○ 올림이 여러 번 있는 (몇십몇)×(몇십몇)의 계산 방법

곱하는 수 몇십몇을 몇과 몇십으로 나누어 차례로 곱합니다. 올림이 있을 때에는 바로 윗자리로 올림하여 계산합니다.

㉠ 58×24의 계산

$$58 \times 24 = 58 \times 20 + 58 \times 4$$
$$= 1160 + 232$$
$$= 1392$$

		5	8	
	×	2	4	
	2	3	2	··· 58×4
1	1	6	0	··· 58×20
1	3	9	2	

> **뽕뽕이**
> 58×24에서 24를 4+20으로 생각하면 58×4와 58×20을 각각 계산한 후 두 곱을 더한 것과 같아.

∷ ☐ 안에 알맞은 수를 써넣으세요.

1 $85 \times 33 = 85 \times \boxed{} + 85 \times \boxed{}$
$= \boxed{} + \boxed{}$
$= \boxed{}$

2 $64 \times 93 = 64 \times \boxed{} + 64 \times \boxed{}$
$= \boxed{} + \boxed{}$
$= \boxed{}$

3 $49 \times 87 = 49 \times \boxed{} + 49 \times \boxed{}$
$= \boxed{} + \boxed{}$
$= \boxed{}$

4 $66 \times 55 = 66 \times \boxed{} + 66 \times \boxed{}$
$= \boxed{} + \boxed{}$
$= \boxed{}$

5 $72 \times 38 = 72 \times \boxed{} + 72 \times \boxed{}$
$= \boxed{} + \boxed{}$
$= \boxed{}$

6 $58 \times 36 = 58 \times \boxed{} + 58 \times \boxed{}$
$= \boxed{} + \boxed{}$
$= \boxed{}$

7 $92 \times 23 = 92 \times \boxed{} + 92 \times \boxed{}$
$= \boxed{} + \boxed{}$
$= \boxed{}$

8 $27 \times 42 = 27 \times \boxed{} + 27 \times \boxed{}$
$= \boxed{} + \boxed{}$
$= \boxed{}$

:: 계산을 하세요.

9
```
      6 5
  ×   7 2
```

14
```
      2 8
  ×   5 6
```

10
```
      6 3
  ×   2 9
```

15
```
      3 4
  ×   4 5
```

11
```
      6 6
  ×   5 3
```

16
```
      3 5
  ×   4 2
```

12
```
      8 9
  ×   2 8
```

17
```
      4 8
  ×   6 2
```

13
```
      6 7
  ×   3 4
```

18
```
      3 8
  ×   9 4
```

❾ 올림이 여러 번 있는 (몇십몇)×(몇십몇)

∷ 계산을 하세요.

1
```
      5 9
×     3 2
```

2
```
      8 3
×     4 2
```

3
```
      4 7
×     5 3
```

4
```
      3 6
×     4 9
```

5
```
      7 4
×     5 2
```

6
```
      2 7
×     3 9
```

7
```
      8 2
×     3 7
```

8
```
      4 3
×     6 5
```

9
```
      2 8
×     7 3
```

10
```
      3 6
×     5 2
```

11
```
      2 4
×     9 5
```

12
```
      6 3
×     2 8
```

13 29 × 56

14 52 × 48

15 96 × 36

16 74 × 22

17 57 × 64

18 84 × 26

19 23 × 86

20 45 × 27

21 69 × 32

22 49 × 24

23 79 × 25

24 38 × 39

 정확성 **up!**

 실력 **up**

25 혜나가 동화책을 하루에 35쪽씩 45일 동안 읽었습니다. 혜나가 읽은 동화책은 모두 몇 쪽일까요?

$$35 \times 45 = \boxed{}$$

답 _____

적용 ❾ 올림이 여러 번 있는 (몇십몇)×(몇십몇)

⁂ 두 수의 곱을 빈 곳에 써넣으세요.

1
26 · 49

6
45 · 28

2
63 · 24

7
76 · 38

3
34 · 36

8
59 · 47

4
83 · 16

9
45 · 24

5
69 · 28

10
88 · 34

정확성 up!

∷ 빈 곳에 알맞은 수를 써넣으세요.

11

×	34	25
86		

12

×	27	32
63		

13

×	36	23
94		

14

×	44	39
52		

15

×	57	74
26		

16

×	23	28
87		

17

×	22	47
96		

18

×	53	35
34		

19

×	38	76
45		

20

×	29	35
37		

❖ 계산을 하세요.

1
```
      1 2 1
  ×       3
```

7
```
        2 3
  ×     4 0
```

2
```
      2 1 5
  ×       3
```

8
```
          3
  ×     9 5
```

3
```
      3 1 6
  ×       3
```

9
```
        3 6
  ×     1 2
```

4
```
      4 6 4
  ×       2
```

10
```
        4 1
  ×     1 9
```

5
```
      7 5 2
  ×       4
```

11
```
        8 2
  ×     4 6
```

6
```
        2 0
  ×     2 0
```

12
```
        2 7
  ×     7 2
```

13 132×3

14 311×2

15 446×2

16 328×2

17 283×3

18 373×2

19 681×5

20 563×3

21 40×80

22 72×30

23 43×80

24 5×49

25 4×56

26 13×27

27 75×32

28 29×54

:: 계산 결과를 찾아 이으세요.

29

233×3	•	•	624
208×3	•	•	699
252×3	•	•	756

30

421×2	•	•	968
417×2	•	•	834
484×2	•	•	842

:: □ 안에 알맞은 수를 써넣으세요.

31

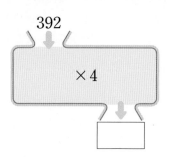

392 ×4

32

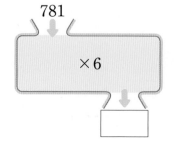

781 ×6

:: 빈 곳에 알맞은 수를 써넣으세요.

33

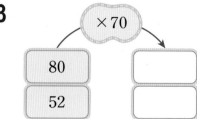

×70

| 80 | |
| 52 | |

34

×67

| 4 | |
| 9 | |

:: 빈 곳에 알맞은 수를 써넣으세요.

35 →⊗→

17	51	
21	45	

36 →⊗→

28	74	
65	65	

2 나눗셈

강화

학습관리 tip 맨 앞장의 학습 플래너를 이용하여 학습 스케줄을 관리하도록 하세요!

원리

❶ (몇십)÷(몇)

원리 동영상 강의

◎ (몇십)÷(몇)의 계산 방법

나누어지는 수의 십의 자리 수를 나누는 수로 나눈 몫을 십의 자리에 맞춰 씁니다. 이때 내림이 없으면 몫의 일의 자리에 0을 쓰고, 내림이 있으면 십의 자리 수에서 남은 수와 일의 자리 수를 더하여 나누는 수로 나눈 몫을 일의 자리에 맞춰 씁니다.

㉠ 60÷2의 계산

```
      3   0
  2 ) 6   0
      6   0  ← 2×30
          0
```

㉠ 50÷2의 계산

```
      2   5
  2 ) 5   0
      4   0  ← 2×20
      1   0
      1   0  ← 2×5
          0
```

> **뿡뿡이**
> 60÷2의 몫은 6÷2에서 나누어지는 수가 10배가 되니까 몫도 10배가 돼.
>
> 6÷2=3 ⟹ 60÷2=30
> (10배 / 10배)

□ 안에 알맞은 수를 써넣으세요.

1

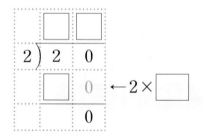

2

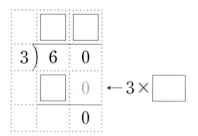

3

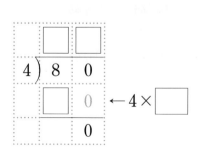

4

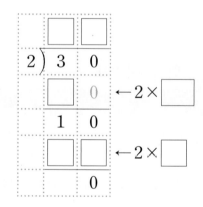

5

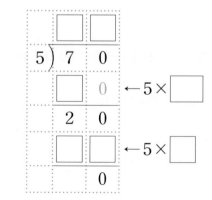

⠿ 계산을 하세요.

6

$$3 \overline{)30}$$

7

$$2 \overline{)40}$$

8

$$3 \overline{)90}$$

9

$$2 \overline{)80}$$

10

$$7 \overline{)70}$$

11

$$4 \overline{)80}$$

12

$$2 \overline{)70}$$

13

$$4 \overline{)60}$$

14

$$5 \overline{)80}$$

15

$$2 \overline{)90}$$

16

$$5 \overline{)60}$$

17

$$6 \overline{)90}$$

① (몇십)÷(몇)

:: 계산을 하세요.

1 $4\overline{)40}$

2 $3\overline{)90}$

3 $4\overline{)80}$

4 $2\overline{)60}$

5 $5\overline{)50}$

6 $6\overline{)60}$

7 $5\overline{)90}$

8 $2\overline{)50}$

9 $4\overline{)60}$

10 $2\overline{)70}$

11 $2\overline{)30}$

12 $5\overline{)80}$

13 80÷8

14 20÷2

15 70÷7

16 60÷3

17 90÷9

18 40÷2

19 30÷3

20 90÷6

21 70÷5

22 60÷5

정확성 up!

실력 up

23 공책 90권을 2명에게 똑같이 나누어 주려고 합니다. 한 명에게 공책을 몇 권씩 줄 수 있을까요?

$$90 \div 2 = \boxed{}$$

답 _____

① (몇십)÷(몇)

::□ 안에 알맞은 수를 써넣으세요.

정확성 up!

1
40 → ÷2 → ☐

2
90 → ÷3 → ☐

3
80 → ÷2 → ☐

4
20 → ÷2 → ☐

5
60 → ÷6 → ☐

6
30 → ÷2 → ☐

7
60 → ÷4 → ☐

8
50 → ÷2 → ☐

9
90 → ÷6 → ☐

10
80 → ÷5 → ☐

☐ 안에 알맞은 수를 써넣으세요.

11
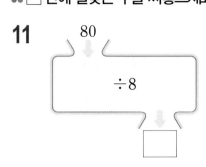

12
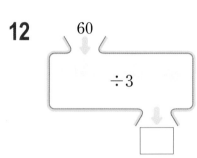

13
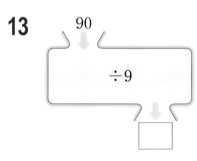

14
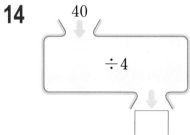

15
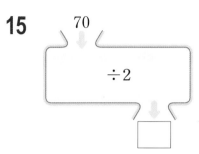

16
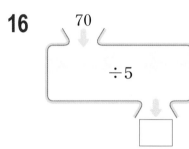

17
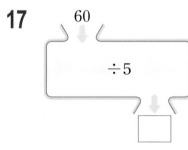

18
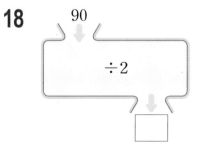

정확성 up!

2. 나눗셈 **71**

❷ 나머지가 없고 내림이 없는 (몇십몇)÷(몇)

○ 나머지가 없고 내림이 없는 (몇십몇)÷(몇)의 계산 방법

나누어지는 수의 십의 자리 수를 나누는 수로 나눈 몫을 십의 자리에 맞춰 쓰고, 나누어지는 수의 일의 자리 수를 나누는 수로 나눈 몫을 일의 자리에 맞춰 씁니다.

예 36÷3의 계산

```
        1   2
   3 ) 3   6
        3   0  ← 3×10
            6
            6  ← 3×2
            0
```

36÷3의 몫은 30÷3의 몫인 10과 6÷3의 몫인 2를 더한 것과 같아.

$$30 \div 3 = 10$$
$$6 \div 3 = 2$$
→ 36÷3=12

❖ □ 안에 알맞은 수를 써넣으세요.

1

```
        □   □
   2 ) 2   8
        □   0  ← 2×□
            8
        □      ← 2×□
            0
```

3

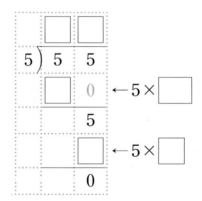

2

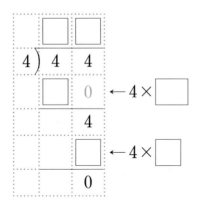

4

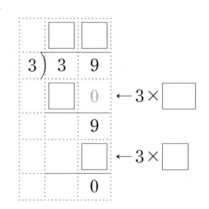

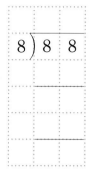

계산을 하세요.

5

$$3\overline{)6\ 3}$$

6

$$2\overline{)8\ 4}$$

7

$$6\overline{)6\ 6}$$

8

$$4\overline{)4\ 8}$$

9

$$2\overline{)6\ 4}$$

10

$$3\overline{)6\ 9}$$

11

$$2\overline{)6\ 2}$$

12

$$3\overline{)9\ 3}$$

13

$$8\overline{)8\ 8}$$

14

$$2\overline{)2\ 4}$$

15

$$3\overline{)9\ 6}$$

16

$$2\overline{)2\ 6}$$

② 나머지가 없고 내림이 없는 (몇십몇)÷(몇)

:: 계산을 하세요.

1 $4\overline{)84}$

2 $2\overline{)42}$

3 $9\overline{)99}$

4 $7\overline{)77}$

5 $2\overline{)82}$

6 $3\overline{)33}$

7 $2\overline{)22}$

8 $2\overline{)86}$

9 $3\overline{)66}$

10 $2\overline{)48}$

11 $2\overline{)24}$

12 $3\overline{)93}$

13 $64 \div 2$

14 $88 \div 2$

15 $36 \div 3$

16 $68 \div 2$

17 $26 \div 2$

18 $62 \div 2$

19 $48 \div 4$

20 $46 \div 2$

21 $66 \div 2$

22 $55 \div 5$

23 $99 \div 3$

24 $88 \div 4$

정확성 up!

실력 up

25 색종이 44장을 2모둠이 똑같이 나누어 쓰려고 합니다. 한 모둠에서 색종이를 몇 장씩 쓸 수 있을까요?

$$44 \div 2 = \boxed{}$$

답 _____

❷ 나머지가 없고 내림이 없는 (몇십몇)÷(몇)

🎯 정확성 up!

❖ 빈 곳에 알맞은 수를 써넣으세요.

1

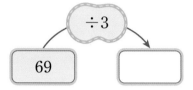

69 ÷3 ▭

2

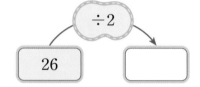

26 ÷2 ▭

3

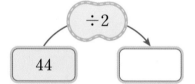

44 ÷2 ▭

4

36 ÷3 ▭

5

77 ÷7 ▭

6

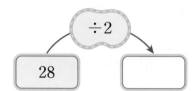

28 ÷2 ▭

7

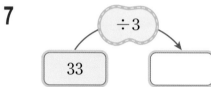

33 ÷3 ▭

8

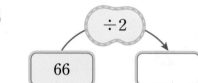

66 ÷2 ▭

9

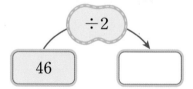

46 ÷2 ▭

10

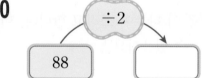

88 ÷2 ▭

 빈 곳에 알맞은 수를 써넣으세요.

11 | 44 | ÷ 4 | |

12 | 63 | ÷ 3 | |

13 | 88 | ÷ 8 | |

14 | 64 | ÷ 2 | |

15 | 96 | ÷ 3 | |

16 | 84 | ÷ 2 | |

17 | 66 | ÷ 6 | |

18 | 42 | ÷ 2 | |

19 | 86 | ÷ 2 | |

20 | 68 | ÷ 2 | |

정확성 **up!**

원리

❸ 나머지가 없고 내림이 있는 (몇십몇)÷(몇)

◉ **나머지가 없고 내림이 있는 (몇십몇)÷(몇)의 계산 방법**

나누어지는 수의 십의 자리 수를 나누는 수로 나눈 몫을 십의 자리에 맞춰 쓰고, 십의 자리 수에서 남은 수와 일의 자리 수를 더하여 나누는 수로 나눈 몫을 일의 자리에 맞춰 씁니다.

예 38÷2의 계산

```
        1   9
    2 ) 3   8
        2   0   ←2×10
        1   8
        1   8   ←2×9
            0
```

조심이

십의 자리 계산에서 남은 수를 잊으면 안 돼!

```
        1   4
    2 ) 3   8
        2
            8
            8
            0
```

□ 안에 알맞은 수를 써넣으세요.

1
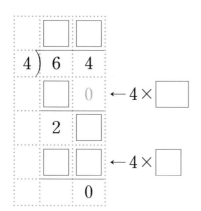

2

3
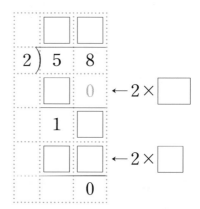

4
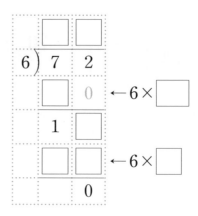

:: 계산을 하세요.

5

$2\overline{)3\ 2}$

6

$2\overline{)5\ 4}$

7

$3\overline{)4\ 8}$

8

$5\overline{)6\ 5}$

9

$2\overline{)3\ 4}$

10

$3\overline{)7\ 5}$

11

$4\overline{)5\ 6}$

12

$3\overline{)7\ 2}$

13

$6\overline{)9\ 6}$

14

$2\overline{)3\ 6}$

15

$7\overline{)8\ 4}$

16

$6\overline{)7\ 8}$

연습

❸ 나머지가 없고 내림이 있는 (몇십몇)÷(몇)

∷ 계산을 하세요.

1   3)5 1

2   4)9 2

3   2)7 4

4   5)9 5

5   2)5 6

6   6)8 4

7   3)8 7

8   4)6 8

9   3)8 1

10   3)5 4

11   7)9 1

12   5)7 5

13 52÷2

14 76÷4

15 92÷2

16 85÷5

17 78÷2

18 98÷7

19 84÷3

20 94÷2

21 57÷3

22 96÷4

23 45÷3

24 52÷4

정확성 **up!**

25 학생 96명을 8모둠으로 똑같이 나누려고 합니다. 한 모둠에 몇 명씩 해야 될까요?

$$96 \div 8 = \boxed{}$$

답 _____

❸ 나머지가 없고 내림이 있는 (몇십몇)÷(몇)

⠿ 계산 결과를 찾아 색칠하세요.

1

72÷4		
18	17	16

6

38÷2		
18	19	20

2

42÷3		
14	15	16

7

91÷7		
13	14	15

3

87÷3		
27	28	29

8

56÷4		
12	14	16

4

64÷4		
14	16	18

9

95÷5		
15	17	19

5

75÷5		
11	13	15

10

81÷3		
23	25	27

❖ 빈 곳에 알맞은 수를 써넣으세요.

11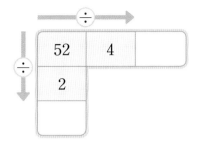

15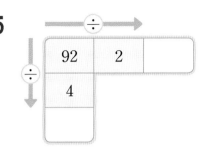

12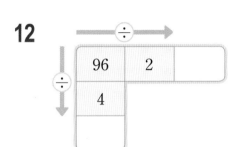

16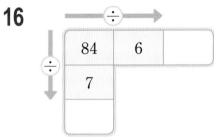

13

17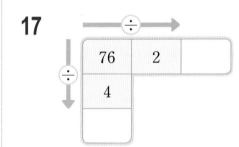

14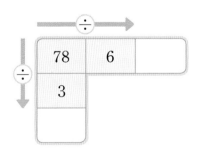

18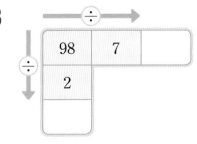

원리

❹ 나머지가 있는 (몇십몇)÷(몇)

원리 동영상 강의

◎ 나머지가 있는 (몇십몇)÷(몇)의 계산 방법

예 17÷5의 계산

↳ 17을 5로 나누면 몫은 3이고
2가 남습니다.
17÷5=3…2

예 53÷2의 계산

```
      2  6
  2) 5  3
     4  0   ←2×20
     1  3
     1  2   ←2×6
        1
```

↳ 53을 2로 나누면 몫은 26이고
1이 남습니다.
53÷2=26…1

조심이

나머지가 나누는 수보다 크면 안 돼!
➡ (나머지)<(나누는 수)

```
      6
  4) 3  1
     2  4
        7
```

□ 안에 알맞은 수를 써넣으세요.

1
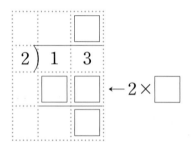

2
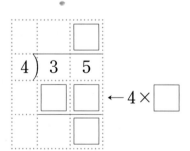

3
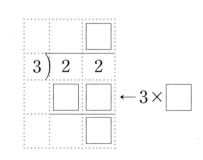

4
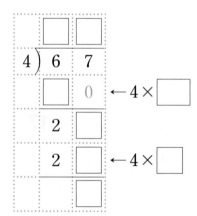

5
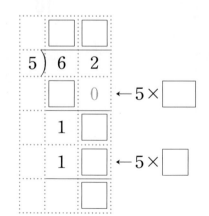

계산을 하세요.

6
$3 \overline{)1\ 3}$

7
$6 \overline{)3\ 2}$

8
$5 \overline{)2\ 4}$

9
$7 \overline{)6\ 8}$

10
$9 \overline{)4\ 3}$

11
$8 \overline{)5\ 4}$

12
$6 \overline{)7\ 0}$

13
$2 \overline{)5\ 1}$

14
$7 \overline{)8\ 3}$

15
$3 \overline{)5\ 6}$

16
$5 \overline{)7\ 3}$

17
$4 \overline{)9\ 5}$

④ 나머지가 있는 (몇십몇)÷(몇)

⁘ 계산을 하세요.

1
$$3 \overline{)2\ 9}$$

2
$$9 \overline{)7\ 7}$$

3
$$8 \overline{)3\ 8}$$

4
$$6 \overline{)4\ 5}$$

5
$$4 \overline{)2\ 2}$$

6
$$5 \overline{)3\ 1}$$

7
$$4 \overline{)6\ 1}$$

8
$$8 \overline{)9\ 8}$$

9
$$2 \overline{)7\ 9}$$

10
$$6 \overline{)8\ 1}$$

11
$$2 \overline{)3\ 5}$$

12
$$4 \overline{)7\ 5}$$

13 33÷4

14 49÷6

15 37÷5

16 19÷2

17 58÷9

18 59÷7

19 94÷7

20 92÷6

21 77÷3

22 82÷5

23 39÷2

24 64÷5

 정확성 **up!**

실력 **up**

25 붙임딱지 25장을 한 명당 6장씩 나누어 주려고 합니다. 몇 명에게 나누어 줄 수 있고, 몇 장이 남을까요?

$$25 \div 6 = \boxed{} \cdots \boxed{}$$

답 _____ , _____

나눗셈의 몫과 나머지를 찾아 이으세요.

1

17÷3 •   • 9⋯3

39÷4 •   • 5⋯1

11÷2 •   • 5⋯2

2

42÷5 •   • 6⋯5

23÷4 •   • 5⋯3

47÷7 •   • 8⋯2

3

26÷3 •   • 8⋯2

69÷9 •   • 9⋯4

76÷8 •   • 7⋯6

4

34÷7 •   • 7⋯1

28÷5 •   • 4⋯6

15÷2 •   • 5⋯3

5

58÷4 •   • 13⋯4

95÷7 •   • 14⋯2

47÷3 •   • 15⋯2

6

92÷8 •   • 11⋯4

83÷6 •   • 13⋯5

76÷3 •   • 25⋯1

7

55÷2 •   • 16⋯2

78÷5 •   • 15⋯3

66÷4 •   • 27⋯1

8

75÷6 •   • 11⋯5

82÷7 •   • 12⋯3

37÷2 •   • 18⋯1

:: ☐ 안에 나눗셈의 몫을, ◯ 안에 나머지를 써넣으세요.

정확성 **up!**

9 ──÷──▶

52	6	
25	4	

14 ──÷──▶

86	5	
59	3	

10 ──÷──▶

46	8	
57	9	

15 ──÷──▶

94	8	
93	5	

11 ──÷──▶

14	3	
32	7	

16 ──÷──▶

80	3	
97	6	

12 ──÷──▶

44	6	
38	5	

17 ──÷──▶

71	4	
88	7	

13 ──÷──▶

71	8	
89	9	

18 ──÷──▶

57	2	
69	4	

원리

❺ 나머지가 없는 (세 자리 수)÷(한 자리 수)

○ 나머지가 없는 (세 자리 수)÷(한 자리 수)의 계산 방법

나누어지는 수의 백의 자리부터 순서대로 계산합니다.

㉫ 400÷2의 계산

```
      2 0 0
  2 ) 4 0 0
      4
          0
```

㉫ 420÷3의 계산

```
      1 4 0
  3 ) 4 2 0
      3
      1 2
      1 2
          0
```

㉫ 245÷5의 계산

```
        4 9
  5 ) 2 4 5
      2 0
        4 5
        4 5
          0
```

뿡뿡이

400÷2는 40÷2의 나누어지는 수에 0을 하나 더 붙여서 계산하는 것과 같아.

$$10배 \begin{bmatrix} 40÷2=20 \\ 400÷2=200 \end{bmatrix} 10배$$

∷ 계산을 하세요.

1
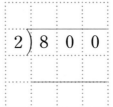
```
  2 ) 2 0 0
```

2
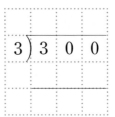
```
  2 ) 8 0 0
```

3
```
  3 ) 3 0 0
```

4

```
  3 ) 6 0 0
```

5
```
  7 ) 7 0 0
```

6
```
  3 ) 9 0 0
```

7

```
  2 ) 3 4 0
```

8
```
  5 ) 8 5 0
```

9

```
  3 ) 4 8 0
```

10

$$4 \overline{)\ 5\ 6\ 0}$$

11

$$5 \overline{)\ 6\ 5\ 0}$$

12

$$6 \overline{)\ 7\ 8\ 0}$$

13

$$6 \overline{)\ 8\ 4\ 0}$$

14

$$2 \overline{)\ 1\ 5\ 4}$$

15

$$7 \overline{)\ 5\ 4\ 6}$$

16

$$6 \overline{)\ 3\ 9\ 6}$$

17

$$3 \overline{)\ 1\ 9\ 2}$$

18

$$7 \overline{)\ 1\ 6\ 8}$$

19

$$8 \overline{)\ 3\ 7\ 6}$$

20

$$5 \overline{)\ 3\ 2\ 5}$$

21

$$9 \overline{)\ 3\ 2\ 4}$$

❺ 나머지가 없는 (세 자리 수)÷(한 자리 수)

∷ 계산을 하세요.

1 $8)\overline{800}$

2 $2)\overline{600}$

3 $2)\overline{320}$

4 $3)\overline{450}$

5 $4)\overline{640}$

6 $5)\overline{750}$

7 $7)\overline{196}$

8 $4)\overline{304}$

9 $6)\overline{726}$

10 $4)\overline{928}$

월	일	분	개	Day
학습 날짜		학습 시간	맞힌 개수	**42**

11   400÷4

12   800÷4

13   900÷9

14   600÷6

15   540÷2

16   920÷4

17   570÷3

18   720÷6

19   498÷6

20   145÷5

21   528÷3

22   858÷6

정확성 **up!**

 실력 up

23 콩 주머니 840개를 7개 반에 똑같이 나누어 주려고 합니다.
한 반에 콩 주머니를 몇 개씩 줄 수 있을까요?

$$840÷7=\boxed{}$$

답 _____

2. 나눗셈 **93** ★

⑤ 나머지가 없는 (세 자리 수)÷(한 자리 수)

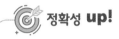
정확성 up!

빈 곳에 알맞은 수를 써넣으세요.

1 　360　 ÷2 → ☐

2 　540　 ÷3 → ☐

3 　760　 ÷4 → ☐

4 　850　 ÷5 → ☐

5 　780　 ÷2 → ☐

6 　252　 ÷9 → ☐

7 　276　 ÷6 → ☐

8 　365　 ÷5 → ☐

9 　456　 ÷3 → ☐

10 　994　 ÷7 → ☐

✽ 세 자리 수를 한 자리 수로 나눈 몫을 빈 곳에 써넣으세요.

11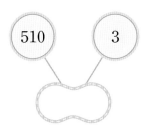

16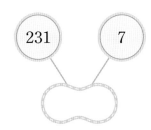

12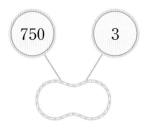

17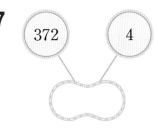

13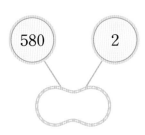

18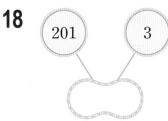

14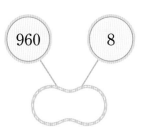

19

15

20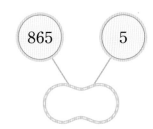

원리

❻ 나머지가 있는 (세 자리 수)÷(한 자리 수)

○ 나머지가 있는 (세 자리 수)÷(한 자리 수)의 계산 방법

나누어지는 수의 백의 자리부터 순서대로 계산합니다.

예 $507 \div 5$의 계산

```
      1 0 1
  5 ) 5 0 7
      5
      ─────
          7
          5
      ─────
          2
```

예 $154 \div 3$의 계산

```
        5 1
  3 ) 1 5 4
      1 5
      ─────
          4
          3
      ─────
          1
```

예 $274 \div 6$의 계산

```
        4 5
  6 ) 2 7 4
      2 4
      ─────
        3 4
        3 0
      ─────
          4
```

뿡뿡이

$507 \div 5$의 계산에서 십의 자리에서 나눌 수 없으면 몫의 십의 자리에 0을 쓰면 돼.

```
      1 0 1
  5 ) 5 0 7
      5
    ───────
        7
        5
    ───────
        2
```

∷ 계산을 하세요.

1
```
  2 ) 2 0 5
```

2
```
  2 ) 4 0 3
```

3
```
  6 ) 6 0 8
```

4
```
  3 ) 3 0 8
```

5
```
  2 ) 4 0 9
```

6
```
  7 ) 7 0 9
```

7
```
  5 ) 2 5 6
```

8
```
  6 ) 2 4 9
```

9
```
  3 ) 2 7 8
```

10

$6 \overline{)487}$

11

$8 \overline{)249}$

12

$4 \overline{)327}$

13

$7 \overline{)638}$

14

$4 \overline{)135}$

15

$5 \overline{)466}$

16

$7 \overline{)328}$

17

$3 \overline{)194}$

18

$5 \overline{)336}$

19

$6 \overline{)285}$

20

$6 \overline{)562}$

21

$9 \overline{)591}$

❖ 계산을 하세요.

1　$4 \overline{)601}$

2　$3 \overline{)278}$

3　$2 \overline{)185}$

4　$6 \overline{)626}$

5　$2 \overline{)153}$

6　$4 \overline{)315}$

7　$7 \overline{)528}$

8　$5 \overline{)211}$

9　$8 \overline{)927}$

10　$3 \overline{)736}$

11 307÷3

12 809÷8

13 903÷9

14 248÷3

15 729÷8

16 363÷4

17 190÷8

18 287÷5

19 569÷6

20 341÷2

21 922÷4

22 767÷6

정확성 **up!**

실력 **up**

23 사과 168개를 5상자에 똑같이 나누어 담으려고 합니다. 한 상자에 사과를 몇 개씩 담을 수 있고, 몇 개가 남을까요?

168÷5 = ☐ … ☐

답 _____ , _____

적용

❻ 나머지가 있는 (세 자리 수)÷(한 자리 수)

□ 안에 나눗셈의 몫을, ◯ 안에 나머지를 써넣으세요.

1

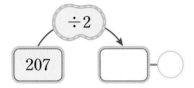

207 ÷2 □ ◯

6

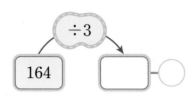

164 ÷3 □ ◯

2

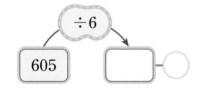

605 ÷6 □ ◯

7

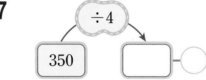

350 ÷4 □ ◯

3

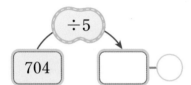

704 ÷5 □ ◯

8

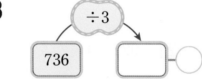

736 ÷3 □ ◯

4

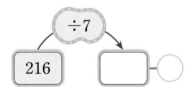

216 ÷7 □ ◯

9

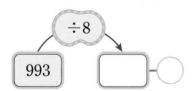

993 ÷8 □ ◯

5

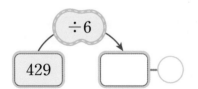

429 ÷6 □ ◯

10

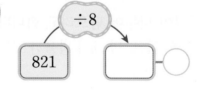

821 ÷8 □ ◯

정확성 **up!**

⠿ 세 자리 수를 한 자리 수로 나눈 몫과 나머지를 빈 곳에 써넣으세요.

11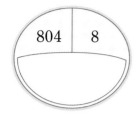

16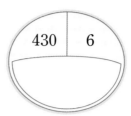

12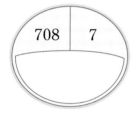

17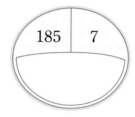

13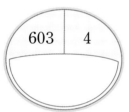

18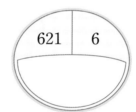

14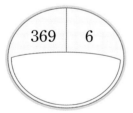

19

15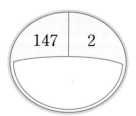

20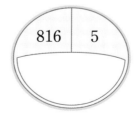

원리

❼ 계산이 맞는지 확인하기

○ **계산이 맞는지 확인하는 방법**

나누는 수와 몫의 곱에 나머지를 더하면 나누어지는 수가 되어야 합니다.

예) $17 \div 5 = 3 \cdots 2$가 맞는지 확인하기

$$17 \div 5 = 3 \cdots 2$$

확인 $5 \times 3 = 15,\ 15 + 2 = 17$

> 뿅뿅이
>
> 확인하는 방법!
> (나누는 수)×(몫)= ■
> ■ +(나머지)=(나누어지는 수)

:: 계산해 보고, 계산 결과가 맞는지 확인하세요.

1 $27 \div 6 = \boxed{} \cdots \boxed{}$

확인 $\boxed{} \times \boxed{} = 24,\ 24 + \boxed{} = 27$

6 $31 \div 2 = \boxed{} \cdots \boxed{}$

확인 $\boxed{} \times \boxed{} = 30,\ 30 + \boxed{} = 31$

2 $25 \div 3 = \boxed{} \cdots \boxed{}$

확인 $\boxed{} \times \boxed{} = 24,\ 24 + \boxed{} = 25$

7 $74 \div 5 = \boxed{} \cdots \boxed{}$

확인 $\boxed{} \times \boxed{} = 70,\ 70 + \boxed{} = 74$

3 $66 \div 7 = \boxed{} \cdots \boxed{}$

확인 $\boxed{} \times \boxed{} = 63,\ 63 + \boxed{} = 66$

8 $87 \div 6 = \boxed{} \cdots \boxed{}$

확인 $\boxed{} \times \boxed{} = 84,\ 84 + \boxed{} = 87$

4 $30 \div 4 = \boxed{} \cdots \boxed{}$

확인 $\boxed{} \times \boxed{} = 28,\ 28 + \boxed{} = 30$

9 $63 \div 4 = \boxed{} \cdots \boxed{}$

확인 $\boxed{} \times \boxed{} = 60,\ 60 + \boxed{} = 63$

5 $42 \div 9 = \boxed{} \cdots \boxed{}$

확인 $\boxed{} \times \boxed{} = 36,\ 36 + \boxed{} = 42$

10 $91 \div 8 = \boxed{} \cdots \boxed{}$

확인 $\boxed{} \times \boxed{} = 88,\ 88 + \boxed{} = 91$

11 $19 \div 2 = \boxed{} \cdots \boxed{}$

확인 $\boxed{} \times \boxed{} = \boxed{}$,

$\boxed{} + \boxed{} = \boxed{}$

12 $38 \div 5 = \boxed{} \cdots \boxed{}$

확인 $\boxed{} \times \boxed{} = \boxed{}$,

$\boxed{} + \boxed{} = \boxed{}$

13 $20 \div 3 = \boxed{} \cdots \boxed{}$

확인 $\boxed{} \times \boxed{} = \boxed{}$,

$\boxed{} + \boxed{} = \boxed{}$

14 $53 \div 6 = \boxed{} \cdots \boxed{}$

확인 $\boxed{} \times \boxed{} = \boxed{}$,

$\boxed{} + \boxed{} = \boxed{}$

15 $47 \div 8 = \boxed{} \cdots \boxed{}$

확인 $\boxed{} \times \boxed{} = \boxed{}$,

$\boxed{} + \boxed{} = \boxed{}$

16 $15 \div 4 = \boxed{} \cdots \boxed{}$

확인 $\boxed{} \times \boxed{} = \boxed{}$,

$\boxed{} + \boxed{} = \boxed{}$

17 $52 \div 3 = \boxed{} \cdots \boxed{}$

확인 $\boxed{} \times \boxed{} = \boxed{}$,

$\boxed{} + \boxed{} = \boxed{}$

18 $76 \div 6 = \boxed{} \cdots \boxed{}$

확인 $\boxed{} \times \boxed{} = \boxed{}$,

$\boxed{} + \boxed{} = \boxed{}$

19 $95 \div 2 = \boxed{} \cdots \boxed{}$

확인 $\boxed{} \times \boxed{} = \boxed{}$,

$\boxed{} + \boxed{} = \boxed{}$

20 $69 \div 5 = \boxed{} \cdots \boxed{}$

확인 $\boxed{} \times \boxed{} = \boxed{}$,

$\boxed{} + \boxed{} = \boxed{}$

21 $98 \div 4 = \boxed{} \cdots \boxed{}$

확인 $\boxed{} \times \boxed{} = \boxed{}$,

$\boxed{} + \boxed{} = \boxed{}$

22 $85 \div 7 = \boxed{} \cdots \boxed{}$

확인 $\boxed{} \times \boxed{} = \boxed{}$,

$\boxed{} + \boxed{} = \boxed{}$

❼ 계산이 맞는지 확인하기

∷ 계산해 보고, 계산 결과가 맞는지 확인하세요.

1 5)1 9

확인 _____

2 3)2 3

확인 _____

3 4)3 8

확인 _____

4 2)1 7

확인 _____

5 7)4 0

확인 _____

6 4)5 9

확인 _____

7 2)3 3

확인 _____

8 7)8 6

확인 _____

9 5)7 2

확인 _____

10 6)9 5

확인 _____

11 55÷8

확인 _____

16 97÷8

확인 _____

12 14÷4

확인 _____

17 68÷5

확인 _____

13 49÷9

확인 _____

18 74÷3

확인 _____

14 32÷5

확인 _____

19 62÷4

확인 _____

15 28÷3

확인 _____

20 77÷2

확인 _____

정확성 up!

실력 up

21 귤 23개를 9명에게 똑같이 나누어 주려고 합니다. 한 명에게 몇 개씩 줄 수 있고, 몇 개가 남을까요? 계산해 보고, 계산 결과가 맞는지 확인하세요.

$$23 \div 9 = \boxed{} \cdots \boxed{}$$

답 한 명에게 ☐ 개씩 줄 수 있고, ☐ 개가 남습니다.

확인 _____

∷ 관계있는 것끼리 이으세요.

1

$35 \div 8$ •　　• $8 \times 4 = 32, 32 + 3 = 35$

$46 \div 6$ •　　• $9 \times 8 = 72, 72 + 6 = 78$

$78 \div 9$ •　　• $6 \times 7 = 42, 42 + 4 = 46$

2

$26 \div 5$ •　　• $7 \times 9 = 63, 63 + 6 = 69$

$20 \div 3$ •　　• $3 \times 6 = 18, 18 + 2 = 20$

$69 \div 7$ •　　• $5 \times 5 = 25, 25 + 1 = 26$

3

$99 \div 8$ •　　• $7 \times 13 = 91, 91 + 1 = 92$

$92 \div 7$ •　　• $8 \times 12 = 96, 96 + 3 = 99$

$53 \div 3$ •　　• $3 \times 17 = 51, 51 + 2 = 53$

4

$71 \div 6$ •　　• $2 \times 45 = 90, 90 + 1 = 91$

$65 \div 4$ •　　• $6 \times 11 = 66, 66 + 5 = 71$

$91 \div 2$ •　　• $4 \times 16 = 64, 64 + 1 = 65$

5

$88 \div 3$ •　　• $8 \times 11 = 88, 88 + 5 = 93$

$93 \div 8$ •　　• $5 \times 16 = 80, 80 + 4 = 84$

$84 \div 5$ •　　• $3 \times 29 = 87, 87 + 1 = 88$

정확성 up!

:: 두 자리 수를 한 자리 수로 나눈 몫과 나머지를 구하고, 계산 결과가 맞는지 확인하세요.

 정확성 **up!**

6 34 4

몫 _____, 나머지 _____

확인 _____

7 62 8

몫 _____, 나머지 _____

확인 _____

8 41 5

몫 _____, 나머지 _____

확인 _____

9 32 7

몫 _____, 나머지 _____

확인 _____

10 27 4

몫 _____, 나머지 _____

확인 _____

11 73 4

몫 _____, 나머지 _____

확인 _____

12 96 5

몫 _____, 나머지 _____

확인 _____

13 87 7

몫 _____, 나머지 _____

확인 _____

14 59 2

몫 _____, 나머지 _____

확인 _____

15 85 6

몫 _____, 나머지 _____

확인 _____

평가   2. 나눗셈

:: 계산을 하세요.

1
$5\overline{)50}$

2
$2\overline{)90}$

3
$2\overline{)46}$

4
$3\overline{)93}$

5
$4\overline{)76}$

6
$5\overline{)85}$

7
$7\overline{)69}$

8
$3\overline{)56}$

9
$5\overline{)500}$

10
$6\overline{)720}$

11
$3\overline{)607}$

12
$5\overline{)181}$

13 $30 \div 3$

14 $60 \div 4$

15 $64 \div 2$

16 $88 \div 8$

17 $57 \div 3$

18 $65 \div 5$

19 $84 \div 6$

20 $29 \div 3$

21 $97 \div 7$

22 $43 \div 3$

23 $510 \div 3$

24 $392 \div 4$

25 $755 \div 5$

26 $901 \div 9$

27 $457 \div 5$

28 $823 \div 3$

∷ □ 안에 알맞은 수를 써넣으세요.

29
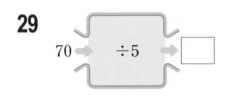
70 → ÷5 →

30
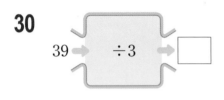
39 → ÷3 →

31
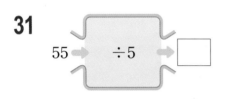
55 → ÷5 →

∷ 빈 곳에 알맞은 수를 써넣으세요.

32
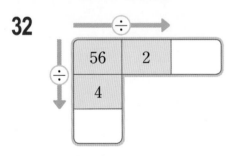

33
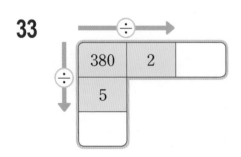

∷ □ 안에 나눗셈의 몫을, ○ 안에 나머지를 써넣으세요.

34
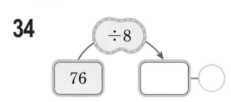
÷8 / 76

35
÷3 / 289

36
÷4 / 475

∷ 두 자리 수를 한 자리 수로 나눈 몫과 나머지를 구하고, 계산 결과가 맞는지 확인하세요.

37 53 6

몫 _____, 나머지 _____

확인 _____

38 74 4

몫 _____, 나머지 _____

확인 _____

3 들이와 무게

📖 학습 관리 **tip** 맨 앞장의 학습 플래너를 이용하여 학습 스케줄을 관리하도록 하세요!

원리

❶ 들이의 덧셈

◎ 들이의 덧셈 계산 방법

L는 L끼리, mL는 mL끼리 더합니다. 이때 mL 단위끼리의 합이 1000보다 크거나 같으면 1000 mL를 1 L로 받아올림하여 계산합니다.

㉠ 1 L 900 mL＋2 L 200 mL의 계산

① ⟶ mL 단위에서 받아올림한 수

	1	L	900	mL
＋	2	L	200	mL
	4	L	100	mL
	②		①	

① mL 단위 계산
➡ 900＋200＝①100

② L 단위 계산 ➡ ①＋1＋2＝4

> 뿡뿡이
>
> 들이의 단위에는 L와 mL 등이 있는데 1 L는 1000 mL와 같아.
> 들이의 덧셈은 같은 단위끼리 자리를 잘 맞춰 쓴 다음 자연수의 덧셈과 같은 방법으로 계산하면 돼.

❖ 계산을 하세요.

1

	1	L	300	mL
＋	1	L	400	mL
		L		mL

2

	2	L	500	mL
＋	1	L	200	mL
		L		mL

3

	3	L	100	mL
＋	4	L	300	mL
		L		mL

4

	2	L	700	mL
＋	2	L	200	mL
		L		mL

5

	3	L	600	mL
＋	3	L	100	mL
		L		mL

6

	1	L	100	mL
＋	2	L	100	mL
		L		mL

7

	2	L	200	mL
＋	4	L	600	mL
		L		mL

8

	4	L	700	mL
＋	5	L	200	mL
		L		mL

9

	1	L	800	mL
+	3	L	400	mL
		L		mL

10

	1	L	400	mL
+	6	L	900	mL
		L		mL

11

	3	L	600	mL
+	2	L	800	mL
		L		mL

12

	1	L	900	mL
+	3	L	300	mL
		L		mL

13

	3	L	500	mL
+	5	L	700	mL
		L		mL

14

	4	L	900	mL
+	2	L	800	mL
		L		mL

15

	3	L	600	mL
+	4	L	500	mL
		L		mL

16

	2	L	600	mL
+	3	L	900	mL
		L		mL

17

	3	L	800	mL
+	1	L	500	mL
		L		mL

18

	4	L	300	mL
+	4	L	900	mL
		L		mL

19

	3	L	700	mL
+	4	L	400	mL
		L		mL

20

	4	L	200	mL
+	1	L	900	mL
		L		mL

21

	2	L	600	mL
+	2	L	700	mL
		L		mL

22

	3	L	500	mL
+	5	L	600	mL
		L		mL

:: 계산을 하세요.

1
$$\begin{array}{r} 1\,\text{L} \quad 500\,\text{mL} \\ +\ 3\,\text{L} \quad 100\,\text{mL} \\ \hline \end{array}$$

2
$$\begin{array}{r} 2\,\text{L} \quad 300\,\text{mL} \\ +\ 3\,\text{L} \quad 300\,\text{mL} \\ \hline \end{array}$$

3
$$\begin{array}{r} 5\,\text{L} \quad 400\,\text{mL} \\ +\ 2\,\text{L} \quad 250\,\text{mL} \\ \hline \end{array}$$

4
$$\begin{array}{r} 3\,\text{L} \quad 800\,\text{mL} \\ +\ 5\,\text{L} \quad 100\,\text{mL} \\ \hline \end{array}$$

5
$$\begin{array}{r} 4\,\text{L} \quad 200\,\text{mL} \\ +\ 5\,\text{L} \quad 600\,\text{mL} \\ \hline \end{array}$$

6
$$\begin{array}{r} 3\,\text{L} \quad 600\,\text{mL} \\ +\ 4\,\text{L} \quad 300\,\text{mL} \\ \hline \end{array}$$

7
$$\begin{array}{r} 1\,\text{L} \quad 400\,\text{mL} \\ +\ 5\,\text{L} \quad 300\,\text{mL} \\ \hline \end{array}$$

8
$$\begin{array}{r} 2\,\text{L} \quad 300\,\text{mL} \\ +\ 6\,\text{L} \quad 800\,\text{mL} \\ \hline \end{array}$$

9
$$\begin{array}{r} 1\,\text{L} \quad 600\,\text{mL} \\ +\ 2\,\text{L} \quad 800\,\text{mL} \\ \hline \end{array}$$

10
$$\begin{array}{r} 1\,\text{L} \quad 840\,\text{mL} \\ +\ 6\,\text{L} \quad 300\,\text{mL} \\ \hline \end{array}$$

11
$$\begin{array}{r} 5\,\text{L} \quad 400\,\text{mL} \\ +\ 2\,\text{L} \quad 900\,\text{mL} \\ \hline \end{array}$$

12
$$\begin{array}{r} 2\,\text{L} \quad 800\,\text{mL} \\ +\ 3\,\text{L} \quad 350\,\text{mL} \\ \hline \end{array}$$

13
$$\begin{array}{r} 1\,\text{L} \quad 300\,\text{mL} \\ +\ 2\,\text{L} \quad 800\,\text{mL} \\ \hline \end{array}$$

14
$$\begin{array}{r} 4\,\text{L} \quad 900\,\text{mL} \\ +\ 2\,\text{L} \quad 400\,\text{mL} \\ \hline \end{array}$$

15 3 L 400 mL + 2 L 400 mL

16 5 L 500 mL + 3 L 350 mL

17 4 L 400 mL + 3 L 250 mL

18 3 L 200 mL + 2 L 500 mL

19 3 L 500 mL + 3 L 600 mL

20 4 L 600 mL + 1 L 600 mL

21 1 L 900 mL + 4 L 800 mL

 정확성 **up!**

실력 **up**

22 물이 2 L 300 mL 들어 있는 수조에 1 L 200 mL의 물을 더 넣었습니다. 수조에 들어 있는 물은 모두 몇 L 몇 mL일까요?

2 L 300 mL + 1 L 200 mL = ☐

답 _____

원리

❷ 들이의 뺄셈

원리 동영상 강의

○ **들이의 뺄셈 계산 방법**

L는 L끼리, mL는 mL끼리 뺍니다. 이때 mL 단위끼리 뺄 수 없을 때에는 1 L를 1000 mL로 받아내림하여 계산합니다.

㉄ 3 L 200 mL − 1 L 500 mL의 계산

② → mL 단위로 받아내림하고 남은 수
(1000) → L 단위에서 받아내림한 수

$$
\begin{array}{r}
\cancel{3}\ \mathrm{L}\ 200\ \mathrm{mL} \\
-\ 1\ \mathrm{L}\ 500\ \mathrm{mL} \\
\hline
1\ \mathrm{L}\ 700\ \mathrm{mL}
\end{array}
$$
② ①

① mL 단위 계산
➡ (1000) + 200 − 500 = 700

② L 단위 계산 ➡ 3 − ① − 1 = 1

> **뿅뿅이**
> 들이의 뺄셈은 같은 단위끼리 자리를 잘 맞춰 쓴 다음 자연수의 뺄셈과 같은 방법으로 계산하면 돼.

⸙ **계산을 하세요.**

1
$$
\begin{array}{r}
2\ \mathrm{L}\ 300\ \mathrm{mL} \\
-\ 1\ \mathrm{L}\ 100\ \mathrm{mL} \\
\hline
\mathrm{L}\qquad \mathrm{mL}
\end{array}
$$

2
$$
\begin{array}{r}
6\ \mathrm{L}\ 600\ \mathrm{mL} \\
-\ 4\ \mathrm{L}\ 400\ \mathrm{mL} \\
\hline
\mathrm{L}\qquad \mathrm{mL}
\end{array}
$$

3
$$
\begin{array}{r}
8\ \mathrm{L}\ 700\ \mathrm{mL} \\
-\ 7\ \mathrm{L}\ 100\ \mathrm{mL} \\
\hline
\mathrm{L}\qquad \mathrm{mL}
\end{array}
$$

4
$$
\begin{array}{r}
3\ \mathrm{L}\ 700\ \mathrm{mL} \\
-\ 2\ \mathrm{L}\ 200\ \mathrm{mL} \\
\hline
\mathrm{L}\qquad \mathrm{mL}
\end{array}
$$

5
$$
\begin{array}{r}
4\ \mathrm{L}\ 400\ \mathrm{mL} \\
-\ 3\ \mathrm{L}\ 100\ \mathrm{mL} \\
\hline
\mathrm{L}\qquad \mathrm{mL}
\end{array}
$$

6
$$
\begin{array}{r}
6\ \mathrm{L}\ 300\ \mathrm{mL} \\
-\ 5\ \mathrm{L}\ 200\ \mathrm{mL} \\
\hline
\mathrm{L}\qquad \mathrm{mL}
\end{array}
$$

7
$$
\begin{array}{r}
2\ \mathrm{L}\ 600\ \mathrm{mL} \\
-\ 1\ \mathrm{L}\ 400\ \mathrm{mL} \\
\hline
\mathrm{L}\qquad \mathrm{mL}
\end{array}
$$

8
$$
\begin{array}{r}
7\ \mathrm{L}\ 900\ \mathrm{mL} \\
-\ 5\ \mathrm{L}\ 700\ \mathrm{mL} \\
\hline
\mathrm{L}\qquad \mathrm{mL}
\end{array}
$$

9

	3	L	100	mL
−	1	L	500	mL
		L		mL

10

	6	L	200	mL
−	2	L	400	mL
		L		mL

11

	8	L	100	mL
−	5	L	700	mL
		L		mL

12

	4	L	300	mL
−	1	L	400	mL
		L		mL

13

	9	L	200	mL
−	4	L	700	mL
		L		mL

14

	4	L	200	mL
−	2	L	500	mL
		L		mL

15

	6	L	100	mL
−	3	L	400	mL
		L		mL

16

	5	L	200	mL
−	3	L	600	mL
		L		mL

17

	7	L	100	mL
−	3	L	700	mL
		L		mL

18

	3	L	400	mL
−	1	L	900	mL
		L		mL

19

	7	L	200	mL
−	5	L	800	mL
		L		mL

20

	5	L	400	mL
−	2	L	700	mL
		L		mL

21

	8	L	400	mL
−	1	L	500	mL
		L		mL

22

	3	L	100	mL
−	1	L	700	mL
		L		mL

∷ 계산을 하세요.

1
     8 L   900 mL
− 7 L   400 mL

8
     5 L   100 mL
− 1 L   200 mL

2
     4 L   600 mL
− 3 L   200 mL

9
     8 L   200 mL
− 4 L   600 mL

3
     7 L   700 mL
− 6 L   200 mL

10
     7 L   600 mL
− 5 L   900 mL

4
     6 L   700 mL
− 5 L   600 mL

11
     9 L   400 mL
− 6 L   600 mL

5
     8 L   800 mL
− 7 L   500 mL

12
     3 L   200 mL
− 1 L   800 mL

6
     2 L   500 mL
− 1 L   200 mL

13
     6 L   400 mL
− 2 L   900 mL

7
     8 L   600 mL
− 7 L   200 mL

14
     7 L   300 mL
− 3 L   800 mL

15   4 L 900 mL − 1 L 800 mL

16   4 L 300 mL − 3 L 100 mL

17   3 L 900 mL − 1 L 600 mL

18   7 L 800 mL − 6 L 100 mL

19   4 L 100 mL − 2 L 200 mL

20   3 L 300 mL − 1 L 600 mL

21   9 L 300 mL − 4 L 500 mL

정확성 **up!**

실력 **up**

22   들이가 3 L 500 mL인 수조에 1 L 400 mL만큼 물이 들어 있습니다. 물을 몇 L 몇 mL 더 부어야 수조를 가득 채울 수 있을까요?

$$3 \text{ L } 500 \text{ mL} - 1 \text{ L } 400 \text{ mL} = \boxed{}$$

답 _____

❸ 무게의 덧셈

원리 동영상 강의

⊙ 무게의 덧셈 계산 방법

kg은 kg끼리, g은 g끼리 더합니다. 이때 g 단위끼리의 합이 1000보다 크거나 같으면 1000 g을 1 kg으로 받아올림하여 계산합니다.

㉎ 1 kg 400 g＋1 kg 800 g의 계산

① ⟶ g 단위에서 받아올림한 수

	1	kg	400	g
＋	1	kg	800	g
	3	kg	200	g

②   ①

① g 단위 계산
➡ 400＋800＝①200

② kg 단위 계산 ➡ ①＋1＋1＝3

> 뿡뿡이
>
> 무게의 단위에는 kg과 g 등이 있는데 1 kg은 1000 g과 같아.
> 무게의 덧셈은 같은 단위끼리 자리를 잘 맞춰 쓴 다음 자연수의 덧셈과 같은 방법으로 계산하면 돼.

⠿ 계산을 하세요.

1

	1	kg	300	g
＋	2	kg	100	g
		kg		g

2

	3	kg	200	g
＋	4	kg	400	g
		kg		g

3

	6	kg	100	g
＋	2	kg	700	g
		kg		g

4

	1	kg	100	g
＋	8	kg	400	g
		kg		g

5

	1	kg	800	g
＋	4	kg	100	g
		kg		g

6

	5	kg	700	g
＋	1	kg	200	g
		kg		g

7

	1	kg	100	g
＋	2	kg	600	g
		kg		g

8

	6	kg	500	g
＋	3	kg	150	g
		kg		g

9

	kg		g
	1	kg	800	g
+	1	kg	400	g
		kg		g

10

	2	kg	900	g
+	3	kg	200	g
		kg		g

11

	4	kg	400	g
+	2	kg	700	g
		kg		g

12

	1	kg	850	g
+	6	kg	300	g
		kg		g

13

	1	kg	500	g
+	6	kg	700	g
		kg		g

14

	5	kg	600	g
+	1	kg	750	g
		kg		g

15

	1	kg	800	g
+	2	kg	400	g
		kg		g

16

	5	kg	900	g
+	2	kg	300	g
		kg		g

17

	3	kg	200	g
+	5	kg	900	g
		kg		g

18

	3	kg	300	g
+	4	kg	900	g
		kg		g

19

	2	kg	800	g
+	4	kg	700	g
		kg		g

20

	2	kg	220	g
+	5	kg	900	g
		kg		g

21

	7	kg	600	g
+	1	kg	500	g
		kg		g

22

	3	kg	700	g
+	2	kg	700	g
		kg		g

∷ 계산을 하세요.

1
　　　6 kg　300 g
　＋ 2 kg　210 g
　―――――――――――

2
　　　4 kg　800 g
　＋ 1 kg　100 g
　―――――――――――

3
　　　1 kg　500 g
　＋ 3 kg　300 g
　―――――――――――

4
　　　2 kg　400 g
　＋ 4 kg　500 g
　―――――――――――

5
　　　4 kg　700 g
　＋ 5 kg　100 g
　―――――――――――

6
　　　1 kg　120 g
　＋ 8 kg　300 g
　―――――――――――

7
　　　1 kg　200 g
　＋ 2 kg　200 g
　―――――――――――

8
　　　4 kg　800 g
　＋ 3 kg　800 g
　―――――――――――

9
　　　1 kg　250 g
　＋ 6 kg　900 g
　―――――――――――

10
　　　2 kg　900 g
　＋ 6 kg　200 g
　―――――――――――

11
　　　3 kg　500 g
　＋ 3 kg　700 g
　―――――――――――

12
　　　1 kg　600 g
　＋ 5 kg　800 g
　―――――――――――

13
　　　6 kg　800 g
　＋ 2 kg　700 g
　―――――――――――

14
　　　4 kg　500 g
　＋ 3 kg　600 g
　―――――――――――

15 6 kg 400 g+2 kg 240 g

16 8 kg 500 g+1 kg 130 g

17 1 kg 400 g+2 kg 500 g

18 5 kg 300 g+4 kg 600 g

19 6 kg 900 g+1 kg 200 g

20 2 kg 800 g+6 kg 600 g

21 1 kg 900 g+2 kg 300 g

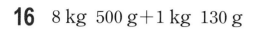 정확성 **up!**

 실력 **up**

22 쌀을 올려놓은 저울의 바늘이 3 kg 500 g을 가리키고 있습니다. 쌀 1 kg 300 g을 더 올려놓으면 쌀의 무게는 모두 몇 kg 몇 g일까요?

3 kg 500 g+1 kg 300 g= ☐

 답 _____

원리

❹ 무게의 뺄셈

◯ 무게의 뺄셈 계산 방법

kg은 kg끼리, g은 g끼리 뺍니다. 이때 g 단위끼리 뺄 수 없을 때에는
1 kg을 1000 g으로 받아내림하여 계산합니다.

㉔ 4 kg 400 g−2 kg 700 g의 계산

①g 단위 계산
➡ ⑴⑩⑩⑩＋400−700＝700

②kg 단위 계산 ➡ 4−①−2＝1

> **뿡뿡이**
> 무게의 뺄셈은 같은 단위끼리 자리를 잘 맞춰 쓴 다음 자연수의 뺄셈과 같은 방법으로 계산하면 돼.

⠿ 계산을 하세요.

1

	kg		g
2	kg	500	g
− 1	kg	300	g
	kg		g

2

	kg		g
3	kg	200	g
− 2	kg	100	g
	kg		g

3

	kg		g
4	kg	700	g
− 1	kg	400	g
	kg		g

4

	kg		g
7	kg	300	g
− 6	kg	200	g
	kg		g

5

	kg		g
5	kg	800	g
− 3	kg	600	g
	kg		g

6

	kg		g
4	kg	300	g
− 3	kg	100	g
	kg		g

7

	kg		g
6	kg	800	g
− 5	kg	500	g
	kg		g

8

	kg		g
4	kg	400	g
− 2	kg	200	g
	kg		g

9

	3	kg	700	g
−	1	kg	800	g
		kg		g

10

	7	kg	300	g
−	2	kg	900	g
		kg		g

11

	8	kg	600	g
−	6	kg	700	g
		kg		g

12

	4	kg	100	g
−	2	kg	800	g
		kg		g

13

	7	kg	300	g
−	1	kg	600	g
		kg		g

14

	4	kg	200	g
−	2	kg	700	g
		kg		g

15

	5	kg	100	g
−	3	kg	200	g
		kg		g

16

	3	kg	200	g
−	1	kg	400	g
		kg		g

17

	8	kg	200	g
−	4	kg	700	g
		kg		g

18

	6	kg	100	g
−	2	kg	200	g
		kg		g

19

	7	kg	200	g
−	5	kg	600	g
		kg		g

20

	8	kg	300	g
−	5	kg	800	g
		kg		g

21

	5	kg	400	g
−	3	kg	900	g
		kg		g

22

	3	kg	500	g
−	1	kg	800	g
		kg		g

:: 계산을 하세요.

1
$$\begin{array}{rr} 2\,\text{kg} & 400\,\text{g} \\ -\ 1\,\text{kg} & 100\,\text{g} \\ \hline \end{array}$$

2
$$\begin{array}{rr} 7\,\text{kg} & 200\,\text{g} \\ -\ 6\,\text{kg} & 100\,\text{g} \\ \hline \end{array}$$

3
$$\begin{array}{rr} 5\,\text{kg} & 900\,\text{g} \\ -\ 3\,\text{kg} & 500\,\text{g} \\ \hline \end{array}$$

4
$$\begin{array}{rr} 4\,\text{kg} & 900\,\text{g} \\ -\ 3\,\text{kg} & 700\,\text{g} \\ \hline \end{array}$$

5
$$\begin{array}{rr} 4\,\text{kg} & 600\,\text{g} \\ -\ 2\,\text{kg} & 300\,\text{g} \\ \hline \end{array}$$

6
$$\begin{array}{rr} 5\,\text{kg} & 400\,\text{g} \\ -\ 4\,\text{kg} & 200\,\text{g} \\ \hline \end{array}$$

7
$$\begin{array}{rr} 6\,\text{kg} & 400\,\text{g} \\ -\ 5\,\text{kg} & 100\,\text{g} \\ \hline \end{array}$$

8
$$\begin{array}{rr} 7\,\text{kg} & 100\,\text{g} \\ -\ 3\,\text{kg} & 300\,\text{g} \\ \hline \end{array}$$

9
$$\begin{array}{rr} 8\,\text{kg} & 200\,\text{g} \\ -\ 2\,\text{kg} & 300\,\text{g} \\ \hline \end{array}$$

10
$$\begin{array}{rr} 3\,\text{kg} & 400\,\text{g} \\ -\ 1\,\text{kg} & 900\,\text{g} \\ \hline \end{array}$$

11
$$\begin{array}{rr} 7\,\text{kg} & 500\,\text{g} \\ -\ 5\,\text{kg} & 900\,\text{g} \\ \hline \end{array}$$

12
$$\begin{array}{rr} 6\,\text{kg} & 300\,\text{g} \\ -\ 4\,\text{kg} & 800\,\text{g} \\ \hline \end{array}$$

13
$$\begin{array}{rr} 9\,\text{kg} & 100\,\text{g} \\ -\ 1\,\text{kg} & 300\,\text{g} \\ \hline \end{array}$$

14
$$\begin{array}{rr} 4\,\text{kg} & 500\,\text{g} \\ -\ 2\,\text{kg} & 900\,\text{g} \\ \hline \end{array}$$

15 2 kg 700 g − 1 kg 600 g

16 7 kg 800 g − 5 kg 600 g

17 3 kg 300 g − 1 kg 200 g

18 8 kg 200 g − 7 kg 100 g

19 5 kg 200 g − 3 kg 800 g

20 6 kg 300 g − 2 kg 400 g

21 7 kg 400 g − 5 kg 500 g

정확성 up!

실력 up

22 감자 한 상자의 무게는 5 kg 200 g이고, 고구마 한 상자의 무게는 2 kg 100 g입니다. 감자 한 상자의 무게는 고구마 한 상자의 무게보다 몇 kg 몇 g 더 무거울까요?

5 kg 200 g − 2 kg 100 g = ☐

답 _____

3. 들이와 무게

□ 안에 알맞은 수를 써넣으세요.

1 3 L 160 mL

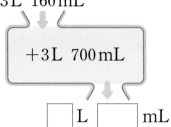

+3 L 700 mL

□ L □ mL

2 1 L 700 mL

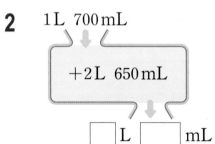

+2 L 650 mL

□ L □ mL

3 9 L 800 mL

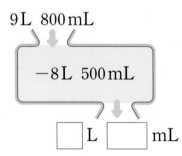

−8 L 500 mL

□ L □ mL

4 5 L 700 mL

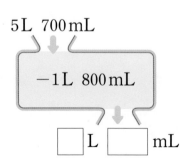

−1 L 800 mL

□ L □ mL

5 1 kg 600 g

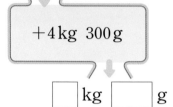

+4 kg 300 g

□ kg □ g

6 6 kg 400 g

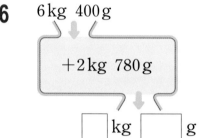

+2 kg 780 g

□ kg □ g

7 9 kg 900 g

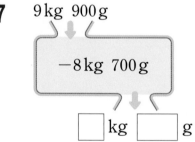

−8 kg 700 g

□ kg □ g

8 8 kg 180 g

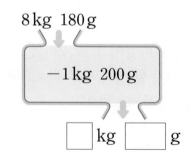

−1 kg 200 g

□ kg □ g

:: 빈 곳에 알맞게 써넣으세요.

9 ──── ⊕ ────▶

1 L 800 mL	4 L 100 mL	
3 L 120 mL	4 L 800 mL	
2 L 700 mL	5 L 700 mL	

10 ──── ⊖ ────▶

8 L 700 mL	7 L 300 mL	
6 L 500 mL	5 L 300 mL	
4 L 200 mL	1 L 300 mL	

11 ──── ⊕ ────▶

3 kg 500 g	5 kg 400 g	
4 kg 200 g	5 kg 600 g	
5 kg 700 g	2 kg 400 g	

12 ──── ⊖ ────▶

3 kg 900 g	2 kg 600 g	
9 kg 500 g	8 kg 100 g	
6 kg 200 g	1 kg 400 g	

:: 계산을 하세요.

1
      2 L   300 mL
+ 1 L   500 mL

2
      1 L   100 mL
+ 5 L   300 mL

3
      3 L   300 mL
+ 2 L   900 mL

4
      9 L   700 mL
− 7 L   600 mL

5
      5 L   500 mL
− 4 L   100 mL

6
      6 L   300 mL
− 2 L   700 mL

7
      2 kg   450 g
+ 2 kg   300 g

8
      3 kg   700 g
+ 6 kg   200 g

9
      5 kg   900 g
+ 1 kg   300 g

10
      2 kg   900 g
− 1 kg   800 g

11
      6 kg   700 g
− 4 kg   500 g

12
      5 kg   100 g
− 3 kg   700 g

13 3 L 200 mL＋3 L 400 mL

14 6 L 400 mL＋2 L 200 mL

15 2 L 950 mL＋5 L 300 mL

16 2 L 480 mL＋3 L 700 mL

17 5 L 400 mL－4 L 200 mL

18 4 L 800 mL－3 L 300 mL

19 6 L 100 mL－2 L 600 mL

20 7 L 500 mL－4 L 800 mL

21 2 kg 300 g＋3 kg 400 g

22 5 kg 200 g＋2 kg 200 g

23 2 kg 750 g＋5 kg 300 g

24 3 kg 600 g＋2 kg 500 g

25 6 kg 900 g－2 kg 800 g

26 8 kg 800 g－7 kg 600 g

27 6 kg 600 g－4 kg 900 g

28 4 kg 400 g－1 kg 500 g

□ 안에 알맞은 수를 써넣으세요.

29
7 L 500 mL
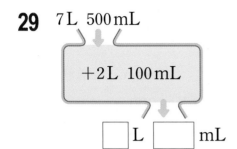
+2 L 100 mL

□ L □ mL

30
5 L 800 mL
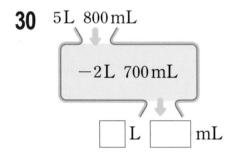
−2 L 700 mL

□ L □ mL

31
3 kg 100 g
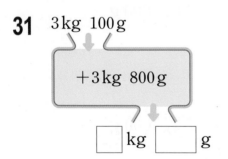
+3 kg 800 g

□ kg □ g

32
5 kg 700 g
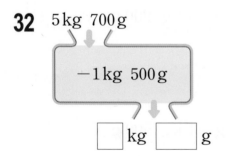
−1 kg 500 g

□ kg □ g

빈 곳에 알맞게 써넣으세요.

33
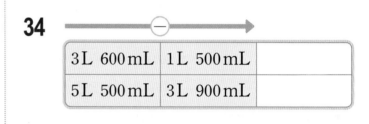

➕		
8 L 150 mL	1 L 300 mL	
4 L 180 mL	3 L 900 mL	

34

➖		
3 L 600 mL	1 L 500 mL	
5 L 500 mL	3 L 900 mL	

35
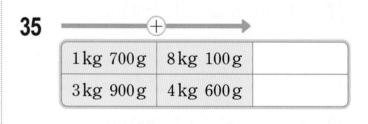

➕		
1 kg 700 g	8 kg 100 g	
3 kg 900 g	4 kg 600 g	

36

➖		
8 kg 600 g	7 kg 400 g	
9 kg 200 g	2 kg 500 g	

바른 계산, 빠른 연산!

초능력 수학 연산 3·2

정답 및 풀이

동아출판

차례

 **정답 및 풀이**

1 곱셈

1	639	13	663
2	642	14	828
3	448	15	606
4	930	16	224
5	804	17	426
6	822	18	682
7	884	19	693
8	393	20	284
9	826	21	624
10	228	22	484
11	648	23	886
12	226	24	903

1	626	15	844
2	246	16	909
3	936	17	993
4	888	18	468
5	633	19	282
6	846	20	366
7	408	21	990
8	848	22	448
9	777	23	933
10	862	24	666
11	824	25	808
12	336	26	339
13	628	27	446 / 446개
14	844		

1	369	10	286
2	555	11	864
3	486	12	969
4	806	13	288
5	482	14	464
6	939	15	488
7	696	16	428
8	266	17	963
9	840	18	966

6 $313 \times 3 = 939$
7 $232 \times 3 = 696$
8 $133 \times 2 = 266$
9 $420 \times 2 = 840$
10 $143 \times 2 = 286$
11 $432 \times 2 = 864$
12 $323 \times 3 = 969$
13 $144 \times 2 = 288$
14 $232 \times 2 = 464$
15 $122 \times 4 = 488$
16 $214 \times 2 = 428$
17 $321 \times 3 = 963$
18 $322 \times 3 = 966$

1	984	12	678
2	824	13	296
3	838	14	951
4	696	15	357
5	878	16	642
6	684	17	850
7	632	18	372
8	892	19	872
9	256	20	876
10	798	21	975
11	654	22	890

16~17쪽 연습 ❷

1	254	15	621
2	696	16	387
3	672	17	472
4	832	18	852
5	276	19	657
6	957	20	749
7	348	21	290
8	912	22	678
9	292	23	810
10	854	24	942
11	674	25	496
12	864	26	874
13	870	27	540 / 540 cm
14	498		

18~19쪽 적용 ❷

1	856	11	375
2	565	12	868
3	836	13	858
4	945	14	672
5	452	15	856
6	894	16	698
7	675	17	294
8	981	18	476
9	872	19	278
10	987	20	692

5 $226 \times 2 = 452$

6 $447 \times 2 = 894$

7 $225 \times 3 = 675$

8 $327 \times 3 = 981$

9 $436 \times 2 = 872$

10 $329 \times 3 = 987$

11 $125 \times 3 = 375$

12 $217 \times 4 = 868$

13 $429 \times 2 = 858$

14 $336 \times 2 = 672$

15 $428 \times 2 = 856$

16 $349 \times 2 = 698$

17 $147 \times 2 = 294$

18 $238 \times 2 = 476$

19 $139 \times 2 = 278$

20 $346 \times 2 = 692$

20~21쪽 원리 ❸

1	542	12	984
2	780	13	516
3	955	14	586
4	902	15	655
5	549	16	924
6	960	17	789
7	924	18	568
8	768	19	942
9	546	20	568
10	960	21	748
11	722	22	920

22~23쪽 연습 ❸

1	960	15	486
2	766	16	742
3	946	17	726
4	508	18	922
5	964	19	706
6	708	20	564
7	368	21	705
8	819	22	544
9	456	23	966
10	726	24	753
11	784	25	904
12	964	26	982
13	986	27	980 / 980 cm
14	783		

1	429	**10**	900
2	702	**11**	459, 576
3	926	**12**	810, 843
4	759	**13**	906, 962
5	528	**14**	704, 944
6	908	**15**	724, 748
7	786	**16**	528, 644
8	906	**17**	786, 728
9	744	**18**	348, 782

6 $454 \times 2 = 908$

7 $262 \times 3 = 786$

8 $151 \times 6 = 906$

9 $372 \times 2 = 744$

10 $450 \times 2 = 900$

11 $153 \times 3 = 459$, $192 \times 3 = 576$

12 $270 \times 3 = 810$, $281 \times 3 = 843$

13 $453 \times 2 = 906$, $481 \times 2 = 962$

14 $352 \times 2 = 704$, $472 \times 2 = 944$

15 $362 \times 2 = 724$, $374 \times 2 = 748$

16 $132 \times 4 = 528$, $161 \times 4 = 644$

17 $393 \times 2 = 786$, $364 \times 2 = 728$

18 $174 \times 2 = 348$, $391 \times 2 = 782$

1	1355	**12**	3255
2	1089	**13**	3488
3	1920	**14**	3246
4	2928	**15**	1450
5	4255	**16**	1449
6	3728	**17**	1746
7	2244	**18**	1526
8	1116	**19**	7380
9	1755	**20**	1344
10	2368	**21**	2829
11	1528	**22**	1122

1	1755	**15**	1728
2	2049	**16**	2528
3	5768	**17**	5766
4	1944	**18**	2229
5	4986	**19**	3368
6	1326	**20**	1848
7	1904	**21**	1380
8	1476	**22**	1148
9	4500	**23**	6020
10	1746	**24**	2105
11	3726	**25**	1968
12	1548	**26**	1686
13	2529	**27**	4700 / 4700원
14	1448		

1	1389	**11**	2886
2	1926	**12**	2649
3	3900	**13**	2283
4	3928	**14**	2859
5	1686	**15**	1368
6	1508	**16**	3640
7	1659	**17**	1308
8	1419	**18**	4355
9	3568	**19**	1568
10	1524	**20**	2586

11 $481 \times 6 = 2886$

12 $883 \times 3 = 2649$

13 $761 \times 3 = 2283$

14 $953 \times 3 = 2859$

15 $342 \times 4 = 1368$

16 $520 \times 7 = 3640$

17 $654 \times 2 = 1308$

18 $871 \times 5 = 4355$

19 $784 \times 2 = 1568$

20 $862 \times 3 = 2586$

32~33쪽 원리 ❺

• 위에서부터 답을 채점하세요.

1	400, 100	12	2700
2	800, 100	13	1200
3	1400, 100	14	2100
4	4200, 100	15	3500
5	900, 100	16	600
6	2400, 100	17	700
7	2000, 100	18	4500
8	2400, 100	19	3200
9	900	20	1800
10	800	21	3000
11	5400	22	8100

34~35쪽 연습 ❺

1	300	15	2800
2	500	16	2700
3	600	17	3600
4	6400	18	4800
5	2500	19	6300
6	1600	20	700
7	1800	21	1000
8	6300	22	5400
9	1200	23	5600
10	1800	24	1500
11	1500	25	1600
12	3600	26	4000
13	4000	27	1200 / 1200그루
14	1600		

21 $20 \times 50 = 1000$
22 $90 \times 60 = 5400$
23 $70 \times 80 = 5600$
24 $30 \times 50 = 1500$
25 $80 \times 20 = 1600$
26 $50 \times 80 = 4000$
27 (한 줄에 있는 나무의 수) × (줄 수)
　　$= 30 \times 40 = 1200$(그루)

36~37쪽 적용 ❺

1	800	• 위에서부터 답을 채점하세요	
2	2800	11	200, 300
3	4500	12	800, 2000
4	2400	13	2400, 1200
5	400	14	3000, 5400
6	1000	15	4800, 7200
7	600	16	900, 3600
8	1400	17	3500, 4200
9	4900	18	1800, 7200
10	2100		

8 $20 \times 70 = 1400$
9 $70 \times 70 = 4900$
10 $30 \times 70 = 2100$
11 $10 \times 20 = 200$, $10 \times 30 = 300$
12 $40 \times 20 = 800$, $40 \times 50 = 2000$
13 $60 \times 40 = 2400$, $60 \times 20 = 1200$
14 $60 \times 50 = 3000$, $60 \times 90 = 5400$
15 $80 \times 60 = 4800$, $80 \times 90 = 7200$
16 $90 \times 10 = 900$, $90 \times 40 = 3600$
17 $70 \times 50 = 3500$, $70 \times 60 = 4200$
18 $90 \times 20 = 1800$, $90 \times 80 = 7200$

38~39쪽 원리 ❻

• 위에서부터 답을 채점하세요.

1	840, 10	13	2340
2	680, 10	14	2120
3	880, 10	15	2880
4	930, 10	16	1470
5	840, 10	17	1900
6	660, 10	18	1840
7	840, 10	19	3240
8	480, 10	20	1680
9	1350, 10	21	1860
10	1120, 10	22	3150
11	2240	23	3660
12	1550	24	1650

40~41쪽 연습 ❻

1	480	15	2730
2	900	16	3680
3	1710	17	2280
4	3360	18	2350
5	4380	19	5670
6	2640	20	4350
7	3240	21	1640
8	1350	22	1920
9	4550	23	4700
10	1500	24	2580
11	1800	25	3360
12	2840	26	1140
13	1740	27	1080 / 1080개
14	5250		

42~43쪽 적용 ❻

1	420, 570	9	1190, 1120
2	1280, 1400	10	1320, 4860
3	820, 920	11	2960, 1100
4	2850, 2600	12	2730, 2480
5	6020, 5810	13	2910, 1360
6	4960, 5360	14	3570, 2070
7	5760, 5880	15	2550, 3850
8	1530, 1170	16	1440, 4400

6 $62 \times 80 = 4960$, $67 \times 80 = 5360$
7 $96 \times 60 = 5760$, $98 \times 60 = 5880$
8 $17 \times 90 = 1530$, $13 \times 90 = 1170$
9 $17 \times 70 = 1190$, $28 \times 40 = 1120$
10 $44 \times 30 = 1320$, $81 \times 60 = 4860$
11 $74 \times 40 = 2960$, $55 \times 20 = 1100$
12 $91 \times 30 = 2730$, $62 \times 40 = 2480$
13 $97 \times 30 = 2910$, $68 \times 20 = 1360$
14 $51 \times 70 = 3570$, $69 \times 30 = 2070$
15 $85 \times 30 = 2550$, $77 \times 50 = 3850$
16 $72 \times 20 = 1440$, $88 \times 50 = 4400$

44~45쪽 원리 ❼

1	104	12	285
2	228	13	324
3	156	14	111
4	126	15	384
5	420	16	279
6	504	17	208
7	145	18	196
8	272	19	138
9	144	20	498
10	135	21	592
11	102	22	195

46~47쪽 연습 ❼

1	255	15	290
2	172	16	182
3	148	17	158
4	162	18	132
5	192	19	180
6	144	20	68
7	170	21	255
8	172	22	336
9	294	23	154
10	128	24	648
11	252	25	224
12	117	26	375
13	486	27	232 / 232명
14	194		

21
```
      1
      3
  ×  8 5
  2 5 5
```

22
```
      5
      7
  ×  4 8
  3 3 6
```

23
```
      1
      2
  ×  7 7
  1 5 4
```

24
```
      1
      9
  ×  7 2
  6 4 8
```

25
```
      1
      7
  ×  3 2
  2 2 4
```

26
```
      2
      5
  ×  7 5
  3 7 5
```

48~49쪽 | 적용 ❼

1 (선 연결)
2 (선 연결)
3 (선 연결)
4 (선 연결)
5 (선 연결)
6 (선 연결)
7 (선 연결)
8 (선 연결)

9 104
10 108
11 141
12 368
13 385
14 528
15 156
16 448
17 306
18 536

1 $7 \times 19 = 133$, $9 \times 15 = 135$, $6 \times 22 = 132$
2 $6 \times 41 = 246$, $4 \times 53 = 212$, $3 \times 62 = 186$
3 $3 \times 91 = 273$, $4 \times 82 = 328$, $6 \times 73 = 438$
4 $6 \times 24 = 144$, $4 \times 61 = 244$, $3 \times 92 = 276$
5 $5 \times 74 = 370$, $7 \times 59 = 413$, $8 \times 46 = 368$
6 $9 \times 14 = 126$, $8 \times 21 = 168$, $7 \times 68 = 476$
7 $3 \times 87 = 261$, $4 \times 94 = 376$, $5 \times 93 = 465$
8 $7 \times 27 = 189$, $6 \times 71 = 426$, $4 \times 89 = 356$
9 $8 \times 13 = 104$
10 $9 \times 12 = 108$
11 $3 \times 47 = 141$
12 $4 \times 92 = 368$
13 $7 \times 55 = 385$
14 $6 \times 88 = 528$
15 $2 \times 78 = 156$
16 $7 \times 64 = 448$
17 $6 \times 51 = 306$
18 $8 \times 67 = 536$

50~51쪽 | 원리 ❽

1 10, 2, 350, 70, 420
2 30, 1, 750, 25, 775
3 40, 6, 480, 72, 552
4 30, 4, 690, 92, 782
5 40, 2, 560, 28, 588
6 20, 1, 720, 36, 756
7 10, 3, 170, 51, 221
8 40, 7, 840, 147, 987

9
$$\begin{array}{r} 24 \\ \times\ 32 \\ \hline 48 \\ 720 \\ \hline 768 \end{array}$$

14
$$\begin{array}{r} 29 \\ \times\ 31 \\ \hline 29 \\ 870 \\ \hline 899 \end{array}$$

10
$$\begin{array}{r} 51 \\ \times\ 19 \\ \hline 459 \\ 510 \\ \hline 969 \end{array}$$

15
$$\begin{array}{r} 16 \\ \times\ 16 \\ \hline 96 \\ 160 \\ \hline 256 \end{array}$$

11
$$\begin{array}{r} 13 \\ \times\ 25 \\ \hline 65 \\ 260 \\ \hline 325 \end{array}$$

16
$$\begin{array}{r} 51 \\ \times\ 18 \\ \hline 408 \\ 510 \\ \hline 918 \end{array}$$

12
$$\begin{array}{r} 19 \\ \times\ 14 \\ \hline 76 \\ 190 \\ \hline 266 \end{array}$$

17
$$\begin{array}{r} 74 \\ \times\ 12 \\ \hline 148 \\ 740 \\ \hline 888 \end{array}$$

13
$$\begin{array}{r} 47 \\ \times\ 12 \\ \hline 94 \\ 470 \\ \hline 564 \end{array}$$

18
$$\begin{array}{r} 42 \\ \times\ 13 \\ \hline 126 \\ 420 \\ \hline 546 \end{array}$$

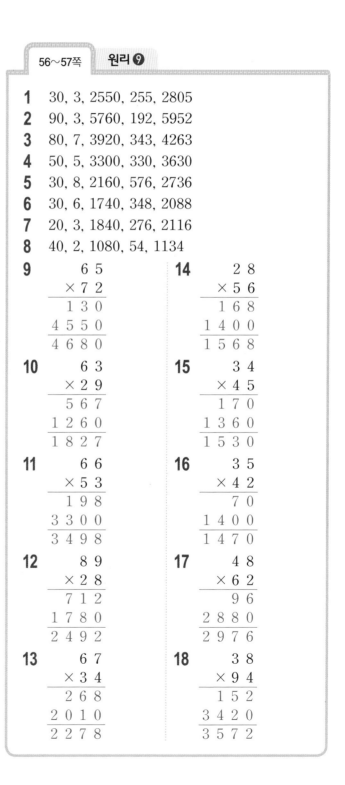

52～53쪽 연습 ❽

1	255	14	336
2	636	15	819
3	442	16	768
4	972	17	779
5	989	18	765
6	775	19	208
7	876	20	588
8	854	21	468
9	945	22	315
10	448	23	837
11	966	24	564
12	806	25	312 / 312갑
13	192		

11
```
    4 2
  × 2 3
  ─────
  1 2 6
  8 4 0
  ─────
  9 6 6
```

12
```
    6 2
  × 1 3
  ─────
  1 8 6
  6 2 0
  ─────
  8 0 6
```

13
```
    1 2
  × 1 6
  ─────
    7 2
  1 2 0
  ─────
  1 9 2
```

14
```
    2 4
  × 1 4
  ─────
    9 6
  2 4 0
  ─────
  3 3 6
```

54～55쪽 적용 ❽

1	216		• 위에서부터 답을 채점하세요
2	552	11	738, 574
3	793	12	923, 689
4	714	13	444, 732
5	876	14	819, 936
6	943	15	312, 744
7	996	16	744, 868
8	969	17	867, 612
9	728	18	816, 656
10	338		

13 $37 \times 12 = 444$, $61 \times 12 = 732$
14 $63 \times 13 = 819$, $72 \times 13 = 936$
15 $13 \times 24 = 312$, $31 \times 24 = 744$
16 $12 \times 62 = 744$, $14 \times 62 = 868$
17 $17 \times 51 = 867$, $12 \times 51 = 612$
18 $51 \times 16 = 816$, $41 \times 16 = 656$

56～57쪽 원리 ❾

1 30, 3, 2550, 255, 2805
2 90, 3, 5760, 192, 5952
3 80, 7, 3920, 343, 4263
4 50, 5, 3300, 330, 3630
5 30, 8, 2160, 576, 2736
6 30, 6, 1740, 348, 2088
7 20, 3, 1840, 276, 2116
8 40, 2, 1080, 54, 1134

9
```
      6 5
    × 7 2
    ─────
    1 3 0
  4 5 5 0
  ───────
  4 6 8 0
```

10
```
      6 3
    × 2 9
    ─────
    5 6 7
  1 2 6 0
  ───────
  1 8 2 7
```

11
```
      6 6
    × 5 3
    ─────
    1 9 8
  3 3 0 0
  ───────
  3 4 9 8
```

12
```
      8 9
    × 2 8
    ─────
    7 1 2
  1 7 8 0
  ───────
  2 4 9 2
```

13
```
      6 7
    × 3 4
    ─────
    2 6 8
  2 0 1 0
  ───────
  2 2 7 8
```

14
```
      2 8
    × 5 6
    ─────
    1 6 8
  1 4 0 0
  ───────
  1 5 6 8
```

15
```
      3 4
    × 4 5
    ─────
    1 7 0
  1 3 6 0
  ───────
  1 5 3 0
```

16
```
      3 5
    × 4 2
    ─────
      7 0
  1 4 0 0
  ───────
  1 4 7 0
```

17
```
      4 8
    × 6 2
    ─────
      9 6
  2 8 8 0
  ───────
  2 9 7 6
```

18
```
      3 8
    × 9 4
    ─────
    1 5 2
  3 4 2 0
  ───────
  3 5 7 2
```

1	1888	**14**	2496
2	3486	**15**	3456
3	2491	**16**	1628
4	1764	**17**	3648
5	3848	**18**	2184
6	1053	**19**	1978
7	3034	**20**	1215
8	2795	**21**	2208
9	2044	**22**	1176
10	1872	**23**	1975
11	2280	**24**	1482
12	1764	**25**	1575 / 1575쪽
13	1624		

9
```
      2 8
  ×   7 3
      8 4
  1 9 6 0
  2 0 4 4
```

10
```
      3 6
  ×   5 2
      7 2
  1 8 0 0
  1 8 7 2
```

11
```
      2 4
  ×   9 5
    1 2 0
  2 1 6 0
  2 2 8 0
```

12
```
      6 3
  ×   2 8
    5 0 4
  1 2 6 0
  1 7 6 4
```

13
```
      2 9
  ×   5 6
    1 7 4
  1 4 5 0
  1 6 2 4
```

14
```
      5 2
  ×   4 8
    4 1 6
  2 0 8 0
  2 4 9 6
```

15
```
      9 6
  ×   3 6
    5 7 6
  2 8 8 0
  3 4 5 6
```

16
```
      7 4
  ×   2 2
    1 4 8
  1 4 8 0
  1 6 2 8
```

17
```
      5 7
  ×   6 4
    2 2 8
  3 4 2 0
  3 6 4 8
```

18
```
      8 4
  ×   2 6
    5 0 4
  1 6 8 0
  2 1 8 4
```

19
```
      2 3
  ×   8 6
    1 3 8
  1 8 4 0
  1 9 7 8
```

20
```
      4 5
  ×   2 7
    3 1 5
    9 0 0
  1 2 1 5
```

1	1274	**11**	2924, 2150
2	1512	**12**	1701, 2016
3	1224	**13**	3384, 2162
4	1328	**14**	2288, 2028
5	1932	**15**	1482, 1924
6	1260	**16**	2001, 2436
7	2888	**17**	2112, 4512
8	2773	**18**	1802, 1190
9	1080	**19**	1710, 3420
10	2992	**20**	1073, 1295

1 $26 \times 49 = 1274$

2 $63 \times 24 = 1512$

3 $34 \times 36 = 1224$

4 $83 \times 16 = 1328$

5 $69 \times 28 = 1932$

6 $45 \times 28 = 1260$

7 $76 \times 38 = 2888$

8 $59 \times 47 = 2773$

9 $45 \times 24 = 1080$

10 $88 \times 34 = 2992$

11 $86 \times 34 = 2924$, $86 \times 25 = 2150$

12 $63 \times 27 = 1701$, $63 \times 32 = 2016$

13 $94 \times 36 = 3384$, $94 \times 23 = 2162$

14 $52 \times 44 = 2288$, $52 \times 39 = 2028$

15 $26 \times 57 = 1482$, $26 \times 74 = 1924$

16 $87 \times 23 = 2001$, $87 \times 28 = 2436$

17 $96 \times 22 = 2112$, $96 \times 47 = 4512$

18 $34 \times 53 = 1802$, $34 \times 35 = 1190$

19 $45 \times 38 = 1710$, $45 \times 76 = 3420$

20 $37 \times 29 = 1073$, $37 \times 35 = 1295$

1	363	**21**	3200
2	645	**22**	2160
3	948	**23**	3440
4	928	**24**	245
5	3008	**25**	224
6	400	**26**	351
7	920	**27**	2400
8	285	**28**	1566
9	432	**29**	
10	779	**30**	
11	3772		
12	1944	**31**	1568
13	396	**32**	4686
14	622	**33**	5600, 3640
15	892	**34**	268, 603
16	656	**35**	867, 945
17	849	**36**	2072, 4225
18	746		
19	3405		
20	1689		

9
```
      3 6
   ×  1 2
      7 2
    3 6 0
    4 3 2
```

10
```
      4 1
   ×  1 9
      3 6 9
    4 1 0
    7 7 9
```

11
```
      8 2
   ×  4 6
      4 9 2
    3 2 8 0
    3 7 7 2
```

12
```
      2 7
   ×  7 2
      5 4
    1 8 9 0
    1 9 4 4
```

17
```
       2
     2 8 3
   ×     3
     8 4 9
```

18
```
       1
     3 7 3
   ×     2
     7 4 6
```

19
```
       4
     6 8 1
   ×     5
   3 4 0 5
```

20
```
       1
     5 6 3
   ×     3
   1 6 8 9
```

22
```
      7 2
   ×  3 0
    2 1 6 0
```

23
```
        2
      4 3
   ×  8 0
    3 4 4 0
```

24
```
        4
        5
   ×  4 9
    2 4 5
```

25
```
        2
        4
   ×  5 6
    2 2 4
```

26
```
      1 3
   ×  2 7
      9 1
    2 6 0
    3 5 1
```

27
```
      7 5
   ×  3 2
    1 5 0
    2 2 5 0
    2 4 0 0
```

28
```
      2 9
   ×  5 4
    1 1 6
    1 4 5 0
    1 5 6 6
```

29 $233 \times 3 = 699$, $208 \times 3 = 624$, $252 \times 3 = 756$

30 $421 \times 2 = 842$, $417 \times 2 = 834$, $484 \times 2 = 968$

31 $392 \times 4 = 1568$

32 $781 \times 6 = 4686$

33 $80 \times 70 = 5600$, $52 \times 70 = 3640$

34 $4 \times 67 = 268$, $9 \times 67 = 603$

35
```
    1 7          2 1
  × 5 1        × 4 5
    1 7        1 0 5
  8 5 0        8 4 0
  8 6 7        9 4 5
```

36
```
    2 8          6 5
  × 7 4        × 6 5
  1 1 2        3 2 5
1 9 6 0        3 9 0 0
2 0 7 2        4 2 2 5
```

2 나눗셈

66~67쪽 **원리 ❶**

1
$$
\begin{array}{r}
1\ 0 \\
2\overline{)2\ 0} \\
\underline{2\ 0} \leftarrow 2\times10 \\
0
\end{array}
$$

2
$$
\begin{array}{r}
2\ 0 \\
3\overline{)6\ 0} \\
\underline{6\ 0} \leftarrow 3\times20 \\
0
\end{array}
$$

3
$$
\begin{array}{r}
2\ 0 \\
4\overline{)8\ 0} \\
\underline{8\ 0} \leftarrow 4\times20 \\
0
\end{array}
$$

4
$$
\begin{array}{r}
1\ 5 \\
2\overline{)3\ 0} \\
\underline{2\ 0} \leftarrow 2\times10 \\
1\ 0 \\
\underline{1\ 0} \leftarrow 2\times5 \\
0
\end{array}
$$

5
$$
\begin{array}{r}
1\ 4 \\
5\overline{)7\ 0} \\
\underline{5\ 0} \leftarrow 5\times10 \\
2\ 0 \\
\underline{2\ 0} \leftarrow 5\times4 \\
0
\end{array}
$$

6
$$
\begin{array}{r}
1\ 0 \\
3\overline{)3\ 0} \\
\underline{3} \\
0
\end{array}
$$

7
$$
\begin{array}{r}
2\ 0 \\
2\overline{)4\ 0} \\
\underline{4} \\
0
\end{array}
$$

8
$$
\begin{array}{r}
3\ 0 \\
3\overline{)9\ 0} \\
\underline{9} \\
0
\end{array}
$$

9
$$
\begin{array}{r}
4\ 0 \\
2\overline{)8\ 0} \\
\underline{8} \\
0
\end{array}
$$

10
$$
\begin{array}{r}
1\ 0 \\
7\overline{)7\ 0} \\
\underline{7} \\
0
\end{array}
$$

11
$$
\begin{array}{r}
2\ 0 \\
4\overline{)8\ 0} \\
\underline{8} \\
0
\end{array}
$$

12
$$
\begin{array}{r}
3\ 5 \\
2\overline{)7\ 0} \\
\underline{6} \\
1\ 0 \\
\underline{1\ 0} \\
0
\end{array}
$$

13
$$
\begin{array}{r}
1\ 5 \\
4\overline{)6\ 0} \\
\underline{4} \\
2\ 0 \\
\underline{2\ 0} \\
0
\end{array}
$$

14
$$
\begin{array}{r}
1\ 6 \\
5\overline{)8\ 0} \\
\underline{5} \\
3\ 0 \\
\underline{3\ 0} \\
0
\end{array}
$$

15
$$
\begin{array}{r}
4\ 5 \\
2\overline{)9\ 0} \\
\underline{8} \\
1\ 0 \\
\underline{1\ 0} \\
0
\end{array}
$$

16
$$
\begin{array}{r}
1\ 2 \\
5\overline{)6\ 0} \\
\underline{5} \\
1\ 0 \\
\underline{1\ 0} \\
0
\end{array}
$$

17
$$
\begin{array}{r}
1\ 5 \\
6\overline{)9\ 0} \\
\underline{6} \\
3\ 0 \\
\underline{3\ 0} \\
0
\end{array}
$$

68~69쪽 **연습 ❶**

1	10	**13**	10
2	30	**14**	10
3	20	**15**	10
4	30	**16**	20
5	10	**17**	10
6	10	**18**	20
7	18	**19**	10
8	25	**20**	15
9	15	**21**	14
10	35	**22**	12
11	15	**23**	45 / 45권
12	16		

11
$$
\begin{array}{r}
1\ 5 \\
2\overline{)3\ 0} \\
\underline{2} \\
1\ 0 \\
\underline{1\ 0} \\
0
\end{array}
$$

12
$$
\begin{array}{r}
1\ 6 \\
5\overline{)8\ 0} \\
\underline{5} \\
3\ 0 \\
\underline{3\ 0} \\
0
\end{array}
$$

20
$$
\begin{array}{r}
1\ 5 \\
6\overline{)9\ 0} \\
\underline{6} \\
3\ 0 \\
\underline{3\ 0} \\
0
\end{array}
$$

21
$$
\begin{array}{r}
1\ 4 \\
5\overline{)7\ 0} \\
\underline{5} \\
2\ 0 \\
\underline{2\ 0} \\
0
\end{array}
$$

22
$$
\begin{array}{r}
1\ 2 \\
5\overline{)6\ 0} \\
\underline{5} \\
1\ 0 \\
\underline{1\ 0} \\
0
\end{array}
$$

23
$$
\begin{array}{r}
4\ 5 \\
2\overline{)9\ 0} \\
\underline{8} \\
1\ 0 \\
\underline{1\ 0} \\
0
\end{array}
$$

70~71쪽 **적용 ❶**

1	20	**10**	16
2	30	**11**	10
3	40	**12**	20
4	10	**13**	10
5	10	**14**	10
6	15	**15**	35
7	15	**16**	14
8	25	**17**	12
9	15	**18**	45

1 $40 \div 2 = 20$

2 $90 \div 3 = 30$

3 $80 \div 2 = 40$

4 $20 \div 2 = 10$

5 $60 \div 6 = 10$

6 $30 \div 2 = 15$

7 $60 \div 4 = 15$

8 $50 \div 2 = 25$

9 $90 \div 6 = 15$

10 $80 \div 5 = 16$

11 $80 \div 8 = 10$

12 $60 \div 3 = 20$

13 $90 \div 9 = 10$

14 $40 \div 4 = 10$

15 $70 \div 2 = 35$

16 $70 \div 5 = 14$

17 $60 \div 5 = 12$

18 $90 \div 2 = 45$

72~73쪽 **원리 ❷**

1
$$\begin{array}{r} 1\,4 \\ 2\overline{)2\,8} \\ \underline{2\,0} \leftarrow 2 \times 10 \\ 8 \\ \underline{8} \leftarrow 2 \times 4 \\ 0 \end{array}$$

2
$$\begin{array}{r} 1\,1 \\ 4\overline{)4\,4} \\ \underline{4\,0} \leftarrow 4 \times 10 \\ 4 \\ \underline{4} \leftarrow 4 \times 1 \\ 0 \end{array}$$

3
$$\begin{array}{r} 1\,1 \\ 5\overline{)5\,5} \\ \underline{5\,0} \leftarrow 5 \times 10 \\ 5 \\ \underline{5} \leftarrow 5 \times 1 \\ 0 \end{array}$$

4
$$\begin{array}{r} 1\,3 \\ 3\overline{)3\,9} \\ \underline{3\,0} \leftarrow 3 \times 10 \\ 9 \\ \underline{9} \leftarrow 3 \times 3 \\ 0 \end{array}$$

5
$$\begin{array}{r} 2\,1 \\ 3\overline{)6\,3} \\ \underline{6} \\ 3 \\ \underline{3} \\ 0 \end{array}$$

6
$$\begin{array}{r} 4\,2 \\ 2\overline{)8\,4} \\ \underline{8} \\ 4 \\ \underline{4} \\ 0 \end{array}$$

7
$$\begin{array}{r} 1\,1 \\ 6\overline{)6\,6} \\ \underline{6} \\ 6 \\ \underline{6} \\ 0 \end{array}$$

8
$$\begin{array}{r} 1\,2 \\ 4\overline{)4\,8} \\ \underline{4} \\ 8 \\ \underline{8} \\ 0 \end{array}$$

9
$$\begin{array}{r} 3\,2 \\ 2\overline{)6\,4} \\ \underline{6} \\ 4 \\ \underline{4} \\ 0 \end{array}$$

10
$$\begin{array}{r} 2\,3 \\ 3\overline{)6\,9} \\ \underline{6} \\ 9 \\ \underline{9} \\ 0 \end{array}$$

11
$$\begin{array}{r} 3\,1 \\ 2\overline{)6\,2} \\ \underline{6} \\ 2 \\ \underline{2} \\ 0 \end{array}$$

12
$$\begin{array}{r} 3\,1 \\ 3\overline{)9\,3} \\ \underline{9} \\ 3 \\ \underline{3} \\ 0 \end{array}$$

13
$$\begin{array}{r} 1\,1 \\ 8\overline{)8\,8} \\ \underline{8} \\ 8 \\ \underline{8} \\ 0 \end{array}$$

14
$$\begin{array}{r} 1\,2 \\ 2\overline{)2\,4} \\ \underline{2} \\ 4 \\ \underline{4} \\ 0 \end{array}$$

15
$$\begin{array}{r} 3\,2 \\ 3\overline{)9\,6} \\ \underline{9} \\ 6 \\ \underline{6} \\ 0 \end{array}$$

16
$$\begin{array}{r} 1\,3 \\ 2\overline{)2\,6} \\ \underline{2} \\ 6 \\ \underline{6} \\ 0 \end{array}$$

1	21	**14**	44
2	21	**15**	12
3	11	**16**	34
4	11	**17**	13
5	41	**18**	31
6	11	**19**	12
7	11	**20**	23
8	43	**21**	33
9	22	**22**	11
10	24	**23**	33
11	12	**24**	22
12	31	**25**	22 / 22장
13	32		

16
$$\begin{array}{r} 3\;4 \\ 2\overline{)6\;8} \\ \underline{6} \\ 8 \\ \underline{8} \\ 0 \end{array}$$

21
$$\begin{array}{r} 3\;3 \\ 2\overline{)6\;6} \\ \underline{6} \\ 6 \\ \underline{6} \\ 0 \end{array}$$

17
$$\begin{array}{r} 1\;3 \\ 2\overline{)2\;6} \\ \underline{2} \\ 6 \\ \underline{6} \\ 0 \end{array}$$

22
$$\begin{array}{r} 1\;1 \\ 5\overline{)5\;5} \\ \underline{5} \\ 5 \\ \underline{5} \\ 0 \end{array}$$

18
$$\begin{array}{r} 3\;1 \\ 2\overline{)6\;2} \\ \underline{6} \\ 2 \\ \underline{2} \\ 0 \end{array}$$

23
$$\begin{array}{r} 3\;3 \\ 3\overline{)9\;9} \\ \underline{9} \\ 9 \\ \underline{9} \\ 0 \end{array}$$

19
$$\begin{array}{r} 1\;2 \\ 4\overline{)4\;8} \\ \underline{4} \\ 8 \\ \underline{8} \\ 0 \end{array}$$

24
$$\begin{array}{r} 2\;2 \\ 4\overline{)8\;8} \\ \underline{8} \\ 8 \\ \underline{8} \\ 0 \end{array}$$

20
$$\begin{array}{r} 2\;3 \\ 2\overline{)4\;6} \\ \underline{4} \\ 6 \\ \underline{6} \\ 0 \end{array}$$

25
$$\begin{array}{r} 2\;2 \\ 2\overline{)4\;4} \\ \underline{4} \\ 4 \\ \underline{4} \\ 0 \end{array}$$

1	23	**11**	11
2	13	**12**	21
3	22	**13**	11
4	12	**14**	32
5	11	**15**	32
6	14	**16**	42
7	11	**17**	11
8	33	**18**	21
9	23	**19**	43
10	44	**20**	34

1 $69 \div 3 = 23$
2 $26 \div 2 = 13$
3 $44 \div 2 = 22$
4 $36 \div 3 = 12$
5 $77 \div 7 = 11$
6 $28 \div 2 = 14$
7 $33 \div 3 = 11$
8 $66 \div 2 = 33$
9 $46 \div 2 = 23$
10 $88 \div 2 = 44$
11 $44 \div 4 = 11$
12 $63 \div 3 = 21$
13 $88 \div 8 = 11$
14 $64 \div 2 = 32$
15 $96 \div 3 = 32$
16 $84 \div 2 = 42$
17 $66 \div 6 = 11$
18 $42 \div 2 = 21$
19 $86 \div 2 = 43$
20 $68 \div 2 = 34$

78~79쪽 **원리 ❸**

1
```
    1 4
3) 4 2
    3 0  ← 3×10
   ─────
    1 2
    1 2  ← 3×4
   ─────
      0
```

2
```
    1 6
4) 6 4
    4 0  ← 4×10
   ─────
    2 4
    2 4  ← 4×6
   ─────
      0
```

3
```
    2 9
2) 5 8
    4 0  ← 2×20
   ─────
    1 8
    1 8  ← 2×9
   ─────
      0
```

4
```
    1 2
6) 7 2
    6 0  ← 6×10
   ─────
    1 2
    1 2  ← 6×2
   ─────
      0
```

5
```
    1 6
2) 3 2
    2
   ───
    1 2
    1 2
   ───
      0
```

6
```
    2 7
2) 5 4
    4
   ───
    1 4
    1 4
   ───
      0
```

7
```
    1 6
3) 4 8
    3
   ───
    1 8
    1 8
   ───
      0
```

8
```
    1 3
5) 6 5
    5
   ───
    1 5
    1 5
   ───
      0
```

9
```
    1 7
2) 3 4
    2
   ───
    1 4
    1 4
   ───
      0
```

10
```
    2 5
3) 7 5
    6
   ───
    1 5
    1 5
   ───
      0
```

11
```
    1 4
4) 5 6
    4
   ───
    1 6
    1 6
   ───
      0
```

12
```
    2 4
3) 7 2
    6
   ───
    1 2
    1 2
   ───
      0
```

13
```
    1 6
6) 9 6
    6
   ───
    3 6
    3 6
   ───
      0
```

14
```
    1 8
2) 3 6
    2
   ───
    1 6
    1 6
   ───
      0
```

15
```
    1 2
7) 8 4
    7
   ───
    1 4
    1 4
   ───
      0
```

16
```
    1 3
6) 7 8
    6
   ───
    1 8
    1 8
   ───
      0
```

80~81쪽 **연습 ❸**

1	17	**14**	19
2	23	**15**	46
3	37	**16**	17
4	19	**17**	39
5	28	**18**	14
6	14	**19**	28
7	29	**20**	47
8	17	**21**	19
9	27	**22**	24
10	18	**23**	15
11	13	**24**	13
12	15	**25**	12 / 12명
13	26		

20
```
    4 7
2) 9 4
    8
   ───
    1 4
    1 4
   ───
      0
```

21
```
    1 9
3) 5 7
    3
   ───
    2 7
    2 7
   ───
      0
```

22
```
    2 4
4) 9 6
    8
   ───
    1 6
    1 6
   ───
      0
```

23
```
    1 5
3) 4 5
    3
   ───
    1 5
    1 5
   ───
      0
```

24
```
    1 3
4) 5 2
    4
   ───
    1 2
    1 2
   ───
      0
```

25
```
    1 2
8) 9 6
    8
   ───
    1 6
    1 6
   ───
      0
```

82~83쪽 | 적용 ❸

1	18		• 위에서부터 답을 채점하세요.
2	14	**11**	13, 26
3	29	**12**	48, 24
4	16	**13**	24, 36
5	15	**14**	13, 26
6	19	**15**	46, 23
7	13	**16**	14, 12
8	14	**17**	38, 19
9	19	**18**	14, 49
10	27		

1 $72 \div 4 = 18$

2 $42 \div 3 = 14$

3 $87 \div 3 = 29$

4 $64 \div 4 = 16$

5 $75 \div 5 = 15$

6 $38 \div 2 = 19$

7 $91 \div 7 = 13$

8 $56 \div 4 = 14$

9 $95 \div 5 = 19$

10 $81 \div 3 = 27$

11 $52 \div 4 = 13$, $52 \div 2 = 26$

12 $96 \div 2 = 48$, $96 \div 4 = 24$

13 $72 \div 3 = 24$, $72 \div 2 = 36$

14 $78 \div 6 = 13$, $78 \div 3 = 26$

15 $92 \div 2 = 46$, $92 \div 4 = 23$

16 $84 \div 6 = 14$, $84 \div 7 = 12$

17 $76 \div 2 = 38$, $76 \div 4 = 19$

18 $98 \div 7 = 14$, $98 \div 2 = 49$

84~85쪽 | 원리 ❹

1
$$\begin{array}{r} 6 \\ 2{\overline{)}1\,3} \\ \underline{1\,2} \leftarrow 2 \times 6 \\ 1 \end{array}$$

2
$$\begin{array}{r} 8 \\ 4{\overline{)}3\,5} \\ \underline{3\,2} \leftarrow 4 \times 8 \\ 3 \end{array}$$

3
$$\begin{array}{r} 7 \\ 3{\overline{)}2\,2} \\ \underline{2\,1} \leftarrow 3 \times 7 \\ 1 \end{array}$$

4
$$\begin{array}{r} 1\,6 \\ 4{\overline{)}6\,7} \\ \underline{4\,0} \leftarrow 4 \times 10 \\ 2\,7 \\ \underline{2\,4} \leftarrow 4 \times 6 \\ 3 \end{array}$$

5
$$\begin{array}{r} 1\,2 \\ 5{\overline{)}6\,2} \\ \underline{5\,0} \leftarrow 5 \times 10 \\ 1\,2 \\ \underline{1\,0} \leftarrow 5 \times 2 \\ 2 \end{array}$$

6
$$\begin{array}{r} 4 \\ 3{\overline{)}1\,3} \\ \underline{1\,2} \\ 1 \end{array}$$

7
$$\begin{array}{r} 5 \\ 6{\overline{)}3\,2} \\ \underline{3\,0} \\ 2 \end{array}$$

8
$$\begin{array}{r} 4 \\ 5{\overline{)}2\,4} \\ \underline{2\,0} \\ 4 \end{array}$$

9
$$\begin{array}{r} 9 \\ 7{\overline{)}6\,8} \\ \underline{6\,3} \\ 5 \end{array}$$

10
$$\begin{array}{r} 4 \\ 9{\overline{)}4\,3} \\ \underline{3\,6} \\ 7 \end{array}$$

11
$$\begin{array}{r} 6 \\ 8{\overline{)}5\,4} \\ \underline{4\,8} \\ 6 \end{array}$$

12
$$\begin{array}{r} 1\,1 \\ 6{\overline{)}7\,0} \\ \underline{6} \\ 1\,0 \\ \underline{6} \\ 4 \end{array}$$

13
$$\begin{array}{r} 2\,5 \\ 2{\overline{)}5\,1} \\ \underline{4} \\ 1\,1 \\ \underline{1\,0} \\ 1 \end{array}$$

14
$$\begin{array}{r} 1\,1 \\ 7{\overline{)}8\,3} \\ \underline{7} \\ 1\,3 \\ \underline{7} \\ 6 \end{array}$$

15
$$\begin{array}{r} 1\,8 \\ 3{\overline{)}5\,6} \\ \underline{3} \\ 2\,6 \\ \underline{2\,4} \\ 2 \end{array}$$

16
$$\begin{array}{r} 1\,4 \\ 5{\overline{)}7\,3} \\ \underline{5} \\ 2\,3 \\ \underline{2\,0} \\ 3 \end{array}$$

17
$$\begin{array}{r} 2\,3 \\ 4{\overline{)}9\,5} \\ \underline{8} \\ 1\,5 \\ \underline{1\,2} \\ 3 \end{array}$$

1	9…2	**14**	8…1
2	8…5	**15**	7…2
3	4…6	**16**	9…1
4	7…3	**17**	6…4
5	5…2	**18**	8…3
6	6…1	**19**	13…3
7	15…1	**20**	15…2
8	12…2	**21**	25…2
9	39…1	**22**	16…2
10	13…3	**23**	19…1
11	17…1	**24**	12…4
12	18…3	**25**	4, 1 / 4명, 1장
13	8…1		

16
```
      9
  2)1 9
    1 8
        1
```

21
```
      2 5
  3)7 7
      6
      1 7
      1 5
          2
```

17
```
      6
  9)5 8
    5 4
        4
```

22
```
      1 6
  5)8 2
      5
      3 2
      3 0
          2
```

18
```
      8
  7)5 9
    5 6
        3
```

23
```
      1 9
  2)3 9
      2
      1 9
      1 8
          1
```

19
```
      1 3
  7)9 4
      7
      2 4
      2 1
          3
```

24
```
      1 2
  5)6 4
      5
      1 4
      1 0
          4
```

20
```
      1 5
  6)9 2
      6
      3 2
      3 0
          2
```

25
```
      4
  6)2 5
      2 4
          1
```

1

2

3

4

5

6

7

8

• 위에서부터 답을 채점하세요.

9	8, 4 / 6, 1
10	5, 6 / 6, 3
11	4, 2 / 4, 4
12	7, 2 / 7, 3
13	8, 7 / 9, 8
14	17, 1 / 19, 2
15	11, 6 / 18, 3
16	26, 2 / 16, 1
17	17, 3 / 12, 4
18	28, 1 / 17, 1

1 17÷3=5…2, 39÷4=9…3, 11÷2=5…1

2 42÷5=8…2, 23÷4=5…3, 47÷7=6…5

3 26÷3=8…2, 69÷9=7…6, 76÷8=9…4

4 34÷7=4…6, 28÷5=5…3, 15÷2=7…1

5 58÷4=14…2, 95÷7=13…4, 47÷3=15…2

6 92÷8=11…4, 83÷6=13…5, 76÷3=25…1

7 55÷2=27…1, 78÷5=15…3, 66÷4=16…2

8 75÷6=12…3, 82÷7=11…5, 37÷2=18…1

9 52÷6=8…4, 25÷4=6…1

10 46÷8=5…6, 57÷9=6…3

11 14÷3=4…2, 32÷7=4…4

12 44÷6=7…2, 38÷5=7…3

13 71÷8=8…7, 89÷9=9…8

14 86÷5=17…1, 59÷3=19…2

15 94÷8=11…6, 93÷5=18…3

16 80÷3=26…2, 97÷6=16…1

17 71÷4=17…3, 88÷7=12…4

18 57÷2=28…1, 69÷4=17…1

90~91쪽   원리 ❺

1
```
    1 0 0
2)2 0 0
    2
    ─────
      0
```

2
```
    4 0 0
2)8 0 0
    8
    ─────
      0
```

3
```
    1 0 0
3)3 0 0
    3
    ─────
      0
```

4
```
    2 0 0
3)6 0 0
    6
    ─────
      0
```

5
```
    1 0 0
7)7 0 0
    7
    ─────
      0
```

6
```
    3 0 0
3)9 0 0
    9
    ─────
      0
```

7
```
    1 7 0
2)3 4 0
    2
    ─────
    1 4
    1 4
    ─────
      0
```

8
```
    1 7 0
5)8 5 0
    5
    ─────
    3 5
    3 5
    ─────
      0
```

9
```
    1 6 0
3)4 8 0
    3
    ─────
    1 8
    1 8
    ─────
      0
```

10
```
    1 4 0
4)5 6 0
    4
    ─────
    1 6
    1 6
    ─────
      0
```

11
```
    1 3 0
5)6 5 0
    5
    ─────
    1 5
    1 5
    ─────
      0
```

12
```
    1 3 0
6)7 8 0
    6
    ─────
    1 8
    1 8
    ─────
      0
```

13
```
    1 4 0
6)8 4 0
    6
    ─────
    2 4
    2 4
    ─────
      0
```

14
```
      7 7
2)1 5 4
    1 4
    ─────
      1 4
      1 4
      ─────
        0
```

15
```
      7 8
7)5 4 6
    4 9
    ─────
      5 6
      5 6
      ─────
        0
```

16
```
      6 6
6)3 9 6
    3 6
    ─────
      3 6
      3 6
      ─────
        0
```

17
```
      6 4
3)1 9 2
    1 8
    ─────
      1 2
      1 2
      ─────
        0
```

18
```
      2 4
7)1 6 8
    1 4
    ─────
      2 8
      2 8
      ─────
        0
```

19
```
      4 7
8)3 7 6
    3 2
    ─────
      5 6
      5 6
      ─────
        0
```

20
```
      6 5
5)3 2 5
    3 0
    ─────
      2 5
      2 5
      ─────
        0
```

21
```
      3 6
9)3 2 4
    2 7
    ─────
      5 4
      5 4
      ─────
        0
```

92~93쪽   연습 ❺

1	100	**13**	100
2	300	**14**	100
3	160	**15**	270
4	150	**16**	230
5	160	**17**	190
6	150	**18**	120
7	28	**19**	83
8	76	**20**	29
9	121	**21**	176
10	232	**22**	143
11	100	**23**	120 / 120개
12	200		

21
```
    1 7 6
3)5 2 8
    3
    ─────
    2 2
    2 1
    ─────
      1 8
      1 8
      ─────
        0
```

22
```
    1 4 3
6)8 5 8
    6
    ─────
    2 5
    2 4
    ─────
      1 8
      1 8
      ─────
        0
```

1	180	**11**	170
2	180	**12**	250
3	190	**13**	290
4	170	**14**	120
5	390	**15**	170
6	28	**16**	33
7	46	**17**	93
8	73	**18**	67
9	152	**19**	164
10	142	**20**	173

13 $580 \div 2 = 290$
14 $960 \div 8 = 120$
15 $680 \div 4 = 170$
18 $201 \div 3 = 67$
19 $656 \div 4 = 164$
20 $865 \div 5 = 173$

1
```
      1 0 2
  2) 2 0 5
     2
     ─────
         5
         4
     ─────
         1
```

2
```
      2 0 1
  2) 4 0 3
     4
     ─────
         3
         2
     ─────
         1
```

3
```
      1 0 1
  6) 6 0 8
     6
     ─────
         8
         6
     ─────
         2
```

4
```
      1 0 2
  3) 3 0 8
     3
     ─────
         8
         6
     ─────
         2
```

5
```
      2 0 4
  2) 4 0 9
     4
     ─────
         9
         8
     ─────
         1
```

6
```
      1 0 1
  7) 7 0 9
     7
     ─────
         9
         7
     ─────
         2
```

7
```
      5 1
  5) 2 5 6
     2 5
     ─────
         6
         5
     ─────
         1
```

8
```
      4 1
  6) 2 4 9
     2 4
     ─────
         9
         6
     ─────
         3
```

9
```
      9 2
  3) 2 7 8
     2 7
     ─────
         8
         6
     ─────
         2
```

10
```
      8 1
  6) 4 8 7
     4 8
     ─────
         7
         6
     ─────
         1
```

11
```
      3 1
  8) 2 4 9
     2 4
     ─────
         9
         8
     ─────
         1
```

12
```
      8 1
  4) 3 2 7
     3 2
     ─────
         7
         4
     ─────
         3
```

13
```
      9 1
  7) 6 3 8
     6 3
     ─────
         8
         7
     ─────
         1
```

14
```
      3 3
  4) 1 3 5
     1 2
     ─────
       1 5
       1 2
     ─────
         3
```

15
```
      9 3
  5) 4 6 6
     4 5
     ─────
       1 6
       1 5
     ─────
         1
```

16
```
      4 6
  7) 3 2 8
     2 8
     ─────
       4 8
       4 2
     ─────
         6
```

17
```
      6 4
  3) 1 9 4
     1 8
     ─────
       1 4
       1 2
     ─────
         2
```

18
```
      6 7
  5) 3 3 6
     3 0
     ─────
       3 6
       3 5
     ─────
         1
```

19
```
      4 7
  6) 2 8 5
     2 4
     ─────
       4 5
       4 2
     ─────
         3
```

20
```
      9 3
  6) 5 6 2
     5 4
     ─────
       2 2
       1 8
     ─────
         4
```

21
```
      6 5
  9) 5 9 1
     5 4
     ─────
       5 1
       4 5
     ─────
         6
```

98~99쪽 연습 ❻

1	150⋯1	**13**	100⋯3
2	92⋯2	**14**	82⋯2
3	92⋯1	**15**	91⋯1
4	104⋯2	**16**	90⋯3
5	76⋯1	**17**	23⋯6
6	78⋯3	**18**	57⋯2
7	75⋯3	**19**	94⋯5
8	42⋯1	**20**	170⋯1
9	115⋯7	**21**	230⋯2
10	245⋯1	**22**	127⋯5
11	102⋯1	**23**	33, 3 / 33개, 3개
12	101⋯1		

100~101쪽 적용 ❻

1	103, 1	**11**	100⋯4
2	100, 5	**12**	101⋯1
3	140, 4	**13**	150⋯3
4	30, 6	**14**	61⋯3
5	71, 3	**15**	73⋯1
6	54, 2	**16**	71⋯4
7	87, 2	**17**	26⋯3
8	245, 1	**18**	103⋯3
9	124, 1	**19**	164⋯2
10	102, 5	**20**	163⋯1

14
```
     8 2
3 ) 2 4 8
    2 4
      8
      6
      2
```

20
```
     1 7 0
2 ) 3 4 1
    2
    1 4
    1 4
        1
```

15
```
     9 1
8 ) 7 2 9
    7 2
      9
      8
      1
```

21
```
     2 3 0
4 ) 9 2 2
    8
    1 2
    1 2
        2
```

17
```
     2 3
8 ) 1 9 0
    1 6
      3 0
      2 4
        6
```

22
```
     1 2 7
6 ) 7 6 7
    6
    1 6
    1 2
      4 7
      4 2
        5
```

18
```
     5 7
5 ) 2 8 7
    2 5
      3 7
      3 5
        2
```

23
```
     3 3
5 ) 1 6 8
    1 5
      1 8
      1 5
        3
```

19
```
     9 4
6 ) 5 6 9
    5 4
      2 9
      2 4
        5
```

1 $207 \div 2 = 103 \cdots 1$
2 $605 \div 6 = 100 \cdots 5$
3 $704 \div 5 = 140 \cdots 4$
4 $216 \div 7 = 30 \cdots 6$
5 $429 \div 6 = 71 \cdots 3$
6 $164 \div 3 = 54 \cdots 2$
7 $350 \div 4 = 87 \cdots 2$
8 $736 \div 3 = 245 \cdots 1$
9 $993 \div 8 = 124 \cdots 1$
10 $821 \div 8 = 102 \cdots 5$
11 $804 \div 8 = 100 \cdots 4$
12 $708 \div 7 = 101 \cdots 1$
13 $603 \div 4 = 150 \cdots 3$
14 $369 \div 6 = 61 \cdots 3$
15 $147 \div 2 = 73 \cdots 1$
16 $430 \div 6 = 71 \cdots 4$
17 $185 \div 7 = 26 \cdots 3$
18 $621 \div 6 = 103 \cdots 3$
19 $494 \div 3 = 164 \cdots 2$
20 $816 \div 5 = 163 \cdots 1$

102~103쪽 원리 ❼

1 4, 3 / 6, 4, 3
2 8, 1 / 3, 8, 1
3 9, 3 / 7, 9, 3
4 7, 2 / 4, 7, 2
5 4, 6 / 9, 4, 6
6 15, 1 / 2, 15, 1
7 14, 4 / 5, 14, 4
8 14, 3 / 6, 14, 3
9 15, 3 / 4, 15, 3
10 11, 3 / 8, 11, 3
11 9, 1 / 2, 9, 18 / 18, 1, 19
12 7, 3 / 5, 7, 35 / 35, 3, 38
13 6, 2 / 3, 6, 18 / 18, 2, 20
14 8, 5 / 6, 8, 48 / 48, 5, 53
15 5, 7 / 8, 5, 40 / 40, 7, 47
16 3, 3 / 4, 3, 12 / 12, 3, 15
17 17, 1 / 3, 17, 51 / 51, 1, 52
18 12, 4 / 6, 12, 72 / 72, 4, 76
19 47, 1 / 2, 47, 94 / 94, 1, 95
20 13, 4 / 5, 13, 65 / 65, 4, 69
21 24, 2 / 4, 24, 96 / 96, 2, 98
22 12, 1 / 7, 12, 84 / 84, 1, 85

104~105쪽 연습 ❼

1 3…4 / 5×3=15, 15+4=19
2 7…2 / 3×7=21, 21+2=23
3 9…2 / 4×9=36, 36+2=38
4 8…1 / 2×8=16, 16+1=17
5 5…5 / 7×5=35, 35+5=40
6 14…3 / 4×14=56, 56+3=59
7 16…1 / 2×16=32, 32+1=33
8 12…2 / 7×12=84, 84+2=86
9 14…2 / 5×14=70, 70+2=72
10 15…5 / 6×15=90, 90+5=95

11 6…7 / 8×6=48, 48+7=55
12 3…2 / 4×3=12, 12+2=14
13 5…4 / 9×5=45, 45+4=49
14 6…2 / 5×6=30, 30+2=32
15 9…1 / 3×9=27, 27+1=28
16 12…1 / 8×12=96, 96+1=97
17 13…3 / 5×13=65, 65+3=68
18 24…2 / 3×24=72, 72+2=74
19 15…2 / 4×15=60, 60+2=62
20 38…1 / 2×38=76, 76+1=77
21 2, 5 / 2, 5 / 9×2=18, 18+5=23

106~107쪽 적용 ❼

1
2
3
4
5

6 8, 2 / 4×8=32, 32+2=34
7 7, 6 / 8×7=56, 56+6=62
8 8, 1 / 5×8=40, 40+1=41
9 4, 4 / 7×4=28, 28+4=32
10 6, 3 / 4×6=24, 24+3=27
11 18, 1 / 4×18=72, 72+1=73
12 19, 1 / 5×19=95, 95+1=96
13 12, 3 / 7×12=84, 84+3=87
14 29, 1 / 2×29=58, 58+1=59
15 14, 1 / 6×14=84, 84+1=85

1 $35÷8=4\cdots3$, $46÷6=7\cdots4$, $78÷9=8\cdots6$

2 $26÷5=5\cdots1$, $20÷3=6\cdots2$, $69÷7=9\cdots6$

3 $99÷8=12\cdots3$, $92÷7=13\cdots1$, $53÷3=17\cdots2$

4 $71÷6=11\cdots5$, $65÷4=16\cdots1$, $91÷2=45\cdots1$

5 $88÷3=29\cdots1$, $93÷8=11\cdots5$, $84÷5=16\cdots4$

6 $34÷4=8\cdots2$

7 $62÷8=7\cdots6$

8 $41÷5=8\cdots1$

9 $32÷7=4\cdots4$

10 $27÷4=6\cdots3$

11 $73÷4=18\cdots1$

12 $96÷5=19\cdots1$

13 $87÷7=12\cdots3$

14 $59÷2=29\cdots1$

15 $85÷6=14\cdots1$

108~110쪽 | **평가**

1	10	**23**	170
2	45	**24**	98
3	23	**25**	151
4	31	**26**	100⋯1
5	19	**27**	91⋯2
6	17	**28**	274⋯1
7	9⋯6	**29**	14
8	18⋯2	**30**	13
9	100	**31**	11
10	120	**32**	(위에서부터)
11	202⋯1		28, 14
12	36⋯1	**33**	(위에서부터)
13	10		190, 76
14	15	**34**	9, 4
15	32	**35**	96, 1
16	11	**36**	118, 3
17	19	**37**	8, 5 /
18	13		6×8=48,
19	14		48+5=53
20	9⋯2	**38**	18, 2 /
21	13⋯6		4×18=72,
22	14⋯1		72+2=74

20
```
        9
   3) 2 9
      2 7
        2
```

21
```
      1 3
   7) 9 7
      7
      2 7
      2 1
        6
```

22
```
      1 4
   3) 4 3
      3
      1 3
      1 2
        1
```

26
```
      1 0 0
   9) 9 0 1
      9
          1
```

27
```
        9 1
   5) 4 5 7
      4 5
          7
          5
          2
```

28
```
      2 7 4
   3) 8 2 3
      6
      2 2
      2 1
        1 3
        1 2
          1
```

29 $70÷5=14$

30 $39÷3=13$

31 $55÷5=11$

32 $56÷2=28$, $56÷4=14$

33 $380÷2=190$, $380÷5=76$

34 $76÷8=9\cdots4$

35 $289÷3=96\cdots1$

36 $475÷4=118\cdots3$

37 $53÷6=8\cdots5$

38 $74÷4=18\cdots2$

3 들이와 무게

112~113쪽 원리 ❶

1	2, 700	**12**	5, 200
2	3, 700	**13**	9, 200
3	7, 400	**14**	7, 700
4	4, 900	**15**	8, 100
5	6, 700	**16**	6, 500
6	3, 200	**17**	5, 300
7	6, 800	**18**	9, 200
8	9, 900	**19**	8, 100
9	5, 200	**20**	6, 100
10	8, 300	**21**	5, 300
11	6, 400	**22**	9, 100

22
$$\begin{array}{r} \overset{1}{3}\,\text{L} \quad 500\,\text{mL} \\ +\ 5\,\text{L} \quad 600\,\text{mL} \\ \hline 9\,\text{L} \quad 100\,\text{mL} \end{array}$$

114~115쪽 연습 ❶

1	4 L 600 mL	**13**	4 L 100 mL
2	5 L 600 mL	**14**	7 L 300 mL
3	7 L 650 mL	**15**	5 L 800 mL
4	8 L 900 mL	**16**	8 L 850 mL
5	9 L 800 mL	**17**	7 L 650 mL
6	7 L 900 mL	**18**	5 L 700 mL
7	6 L 700 mL	**19**	7 L 100 mL
8	9 L 100 mL	**20**	6 L 200 mL
9	4 L 400 mL	**21**	6 L 700 mL
10	8 L 140 mL	**22**	3 L 500 mL /
11	8 L 300 mL		3 L 500 mL
12	6 L 150 mL		

15
$$\begin{array}{r} 3\,\text{L} \quad 400\,\text{mL} \\ +\ 2\,\text{L} \quad 400\,\text{mL} \\ \hline 5\,\text{L} \quad 800\,\text{mL} \end{array}$$

16
$$\begin{array}{r} 5\,\text{L} \quad 500\,\text{mL} \\ +\ 3\,\text{L} \quad 350\,\text{mL} \\ \hline 8\,\text{L} \quad 850\,\text{mL} \end{array}$$

17
$$\begin{array}{r} 4\,\text{L} \quad 400\,\text{mL} \\ +\ 3\,\text{L} \quad 250\,\text{mL} \\ \hline 7\,\text{L} \quad 650\,\text{mL} \end{array}$$

18
$$\begin{array}{r} 3\,\text{L} \quad 200\,\text{mL} \\ +\ 2\,\text{L} \quad 500\,\text{mL} \\ \hline 5\,\text{L} \quad 700\,\text{mL} \end{array}$$

19
$$\begin{array}{r} \overset{1}{3}\,\text{L} \quad 500\,\text{mL} \\ +\ 3\,\text{L} \quad 600\,\text{mL} \\ \hline 7\,\text{L} \quad 100\,\text{mL} \end{array}$$

20
$$\begin{array}{r} \overset{1}{4}\,\text{L} \quad 600\,\text{mL} \\ +\ 1\,\text{L} \quad 600\,\text{mL} \\ \hline 6\,\text{L} \quad 200\,\text{mL} \end{array}$$

21
$$\begin{array}{r} \overset{1}{1}\,\text{L} \quad 900\,\text{mL} \\ +\ 4\,\text{L} \quad 800\,\text{mL} \\ \hline 6\,\text{L} \quad 700\,\text{mL} \end{array}$$

22
$$\begin{array}{r} 2\,\text{L} \quad 300\,\text{mL} \\ +\ 1\,\text{L} \quad 200\,\text{mL} \\ \hline 3\,\text{L} \quad 500\,\text{mL} \end{array}$$

116~117쪽 원리 ❷

1	1, 200	**12**	2, 900
2	2, 200	**13**	4, 500
3	1, 600	**14**	1, 700
4	1, 500	**15**	2, 700
5	1, 300	**16**	1, 600
6	1, 100	**17**	3, 400
7	1, 200	**18**	1, 500
8	2, 200	**19**	1, 400
9	1, 600	**20**	2, 700
10	3, 800	**21**	6, 900
11	2, 400	**22**	1, 400

22
$$\begin{array}{r} \overset{2}{\cancel{3}}\,\text{L} \quad \overset{1000}{100}\,\text{mL} \\ -\ 1\,\text{L} \quad 700\,\text{mL} \\ \hline 1\,\text{L} \quad 400\,\text{mL} \end{array}$$

118~119쪽 연습 ❷

1	1 L 500 mL	13	3 L 500 mL
2	1 L 400 mL	14	3 L 500 mL
3	1 L 500 mL	15	3 L 100 mL
4	1 L 100 mL	16	1 L 200 mL
5	1 L 300 mL	17	2 L 300 mL
6	1 L 300 mL	18	1 L 700 mL
7	1 L 400 mL	19	1 L 900 mL
8	3 L 900 mL	20	1 L 700 mL
9	3 L 600 mL	21	4 L 800 mL
10	1 L 700 mL	22	2 L 100 mL /
11	2 L 800 mL		2 L 100 mL
12	1 L 400 mL		

19
$$\begin{array}{r} \overset{3}{\cancel{4}}\text{L} \quad \overset{1000}{100}\text{mL} \\ -\ 2\text{L} \quad 200\text{mL} \\ \hline 1\text{L} \quad 900\text{mL} \end{array}$$

20
$$\begin{array}{r} \overset{2}{\cancel{3}}\text{L} \quad \overset{1000}{300}\text{mL} \\ -\ 1\text{L} \quad 600\text{mL} \\ \hline 1\text{L} \quad 700\text{mL} \end{array}$$

21
$$\begin{array}{r} \overset{8}{\cancel{9}}\text{L} \quad \overset{1000}{300}\text{mL} \\ -\ 4\text{L} \quad 500\text{mL} \\ \hline 4\text{L} \quad 800\text{mL} \end{array}$$

120~121쪽 원리 ❸

1	3, 400	12	8, 150
2	7, 600	13	8, 200
3	8, 800	14	7, 350
4	9, 500	15	4, 200
5	5, 900	16	8, 200
6	6, 900	17	9, 100
7	3, 700	18	8, 200
8	9, 650	19	7, 500
9	3, 200	20	8, 120
10	6, 100	21	9, 100
11	7, 100	22	6, 400

22
$$\begin{array}{r} \overset{1}{} \\ 3\text{kg} \quad 700\text{g} \\ +\ 2\text{kg} \quad 700\text{g} \\ \hline 6\text{kg} \quad 400\text{g} \end{array}$$

122~123쪽 연습 ❸

1	8 kg 510 g	13	9 kg 500 g
2	5 kg 900 g	14	8 kg 100 g
3	4 kg 800 g	15	8 kg 640 g
4	6 kg 900 g	16	9 kg 630 g
5	9 kg 800 g	17	3 kg 900 g
6	9 kg 420 g	18	9 kg 900 g
7	3 kg 400 g	19	8 kg 100 g
8	8 kg 600 g	20	9 kg 400 g
9	8 kg 150 g	21	4 kg 200 g
10	9 kg 100 g	22	4 kg 800 g /
11	7 kg 200 g		4 kg 800 g
12	7 kg 400 g		

15
$$\begin{array}{r} 6\text{kg} \quad 400\text{g} \\ +\ 2\text{kg} \quad 240\text{g} \\ \hline 8\text{kg} \quad 640\text{g} \end{array}$$

16
$$\begin{array}{r} 8\text{kg} \quad 500\text{g} \\ +\ 1\text{kg} \quad 130\text{g} \\ \hline 9\text{kg} \quad 630\text{g} \end{array}$$

17
$$\begin{array}{r} 1\text{kg} \quad 400\text{g} \\ +\ 2\text{kg} \quad 500\text{g} \\ \hline 3\text{kg} \quad 900\text{g} \end{array}$$

18
$$\begin{array}{r} 5\text{kg} \quad 300\text{g} \\ +\ 4\text{kg} \quad 600\text{g} \\ \hline 9\text{kg} \quad 900\text{g} \end{array}$$

19
$$\begin{array}{r} \overset{1}{} \\ 6\text{kg} \quad 900\text{g} \\ +\ 1\text{kg} \quad 200\text{g} \\ \hline 8\text{kg} \quad 100\text{g} \end{array}$$

20
$$\begin{array}{r} \overset{1}{} \\ 2\text{kg} \quad 800\text{g} \\ +\ 6\text{kg} \quad 600\text{g} \\ \hline 9\text{kg} \quad 400\text{g} \end{array}$$

21
$$\begin{array}{r} \overset{1}{} \\ 1\text{kg} \quad 900\text{g} \\ +\ 2\text{kg} \quad 300\text{g} \\ \hline 4\text{kg} \quad 200\text{g} \end{array}$$

22
$$\begin{array}{r} 3\text{ kg}\quad500\text{ g} \\ +\ 1\text{ kg}\quad300\text{ g} \\ \hline 4\text{ kg}\quad800\text{ g} \end{array}$$

15
$$\begin{array}{r} 2\text{ kg}\quad700\text{ g} \\ -\ 1\text{ kg}\quad600\text{ g} \\ \hline 1\text{ kg}\quad100\text{ g} \end{array}$$

16
$$\begin{array}{r} 7\text{ kg}\quad800\text{ g} \\ -\ 5\text{ kg}\quad600\text{ g} \\ \hline 2\text{ kg}\quad200\text{ g} \end{array}$$

17
$$\begin{array}{r} 3\text{ kg}\quad300\text{ g} \\ -\ 1\text{ kg}\quad200\text{ g} \\ \hline 2\text{ kg}\quad100\text{ g} \end{array}$$

18
$$\begin{array}{r} 8\text{ kg}\quad200\text{ g} \\ -\ 7\text{ kg}\quad100\text{ g} \\ \hline 1\text{ kg}\quad100\text{ g} \end{array}$$

19
$$\begin{array}{r} \overset{4}{\cancel{5}}\text{ kg}\quad\overset{1000}{200}\text{ g} \\ -\ 3\text{ kg}\quad800\text{ g} \\ \hline 1\text{ kg}\quad400\text{ g} \end{array}$$

20
$$\begin{array}{r} \overset{5}{\cancel{6}}\text{ kg}\quad\overset{1000}{300}\text{ g} \\ -\ 2\text{ kg}\quad400\text{ g} \\ \hline 3\text{ kg}\quad900\text{ g} \end{array}$$

21
$$\begin{array}{r} \overset{6}{\cancel{7}}\text{ kg}\quad\overset{1000}{400}\text{ g} \\ -\ 5\text{ kg}\quad500\text{ g} \\ \hline 1\text{ kg}\quad900\text{ g} \end{array}$$

22
$$\begin{array}{r} 5\text{ kg}\quad200\text{ g} \\ -\ 2\text{ kg}\quad100\text{ g} \\ \hline 3\text{ kg}\quad100\text{ g} \end{array}$$

124~125쪽 원리 ❹

1	1, 200	**12**	1, 300
2	1, 100	**13**	5, 700
3	3, 300	**14**	1, 500
4	1, 100	**15**	1, 900
5	2, 200	**16**	1, 800
6	1, 200	**17**	3, 500
7	1, 300	**18**	3, 900
8	2, 200	**19**	1, 600
9	1, 900	**20**	2, 500
10	4, 400	**21**	1, 500
11	1, 900	**22**	1, 700

22
$$\begin{array}{r} \overset{2}{\cancel{3}}\text{ kg}\quad\overset{1000}{500}\text{ g} \\ -\ 1\text{ kg}\quad800\text{ g} \\ \hline 1\text{ kg}\quad700\text{ g} \end{array}$$

126~127쪽 연습 ❹

1	1 kg 300 g	**13**	7 kg 800 g
2	1 kg 100 g	**14**	1 kg 600 g
3	2 kg 400 g	**15**	1 kg 100 g
4	1 kg 200 g	**16**	2 kg 200 g
5	2 kg 300 g	**17**	2 kg 100 g
6	1 kg 200 g	**18**	1 kg 100 g
7	1 kg 300 g	**19**	1 kg 400 g
8	3 kg 800 g	**20**	3 kg 900 g
9	5 kg 900 g	**21**	1 kg 900 g
10	1 kg 500 g	**22**	3 kg 100 g /
11	1 kg 600 g		3 kg 100 g
12	1 kg 500 g		

128~129쪽 적용

1	6, 860	**10**	1 L 400 mL,
2	4, 350		1 L 200 mL,
3	1, 300		2 L 900 mL
4	3, 900	**11**	8 kg 900 g,
5	5, 900		9 kg 800 g,
6	9, 180		8 kg 100 g
7	1, 200	**12**	1 kg 300 g,
8	6, 980		1 kg 400 g,
9	5 L 900 mL,		4 kg 800 g
	7 L 920 mL,		
	8 L 400 mL		

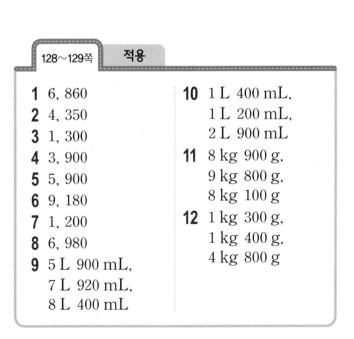

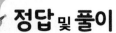 정답 및 풀이

1 3 L 160 mL＋3 L 700 mL＝6 L 860 mL
2 1 L 700 mL＋2 L 650 mL＝4 L 350 mL
3 9 L 800 mL－8 L 500 mL＝1 L 300 mL
4 5 L 700 mL－1 L 800 mL＝3 L 900 mL
5 1 kg 600 g＋4 kg 300 g＝5 kg 900 g
6 6 kg 400 g＋2 kg 780 g＝9 kg 180 g
7 9 kg 900 g－8 kg 700 g＝1 kg 200 g
8 8 kg 180 g－1 kg 200 g＝6 kg 980 g
9 1 L 800 mL＋4 L 100 mL＝5 L 900 mL
　 3 L 120 mL＋4 L 800 mL＝7 L 920 mL
　 2 L 700 mL＋5 L 700 mL＝8 L 400 mL
10 8 L 700 mL－7 L 300 mL＝1 L 400 mL
　 6 L 500 mL－5 L 300 mL＝1 L 200 mL
　 4 L 200 mL－1 L 300 mL＝2 L 900 mL
11 3 kg 500 g＋5 kg 400 g＝8 kg 900 g
　 4 kg 200 g＋5 kg 600 g＝9 kg 800 g
　 5 kg 700 g＋2 kg 400 g＝8 kg 100 g
12 3 kg 900 g－2 kg 600 g＝1 kg 300 g
　 9 kg 500 g－8 kg 100 g＝1 kg 400 g
　 6 kg 200 g－1 kg 400 g＝4 kg 800 g

21 5 kg 700 g
22 7 kg 400 g
23 8 kg 50 g
24 6 kg 100 g
25 4 kg 100 g
26 1 kg 200 g
27 1 kg 700 g
28 2 kg 900 g
29 9, 600
30 3, 100
31 6, 900
32 4, 200
33 9 L 450 mL, 8 L 80 mL
34 2 L 100 mL, 1 L 600 mL
35 9 kg 800 g, 8 kg 500 g
36 1 kg 200 g, 6 kg 700 g

16
```
    1
  2 L 480 mL
+ 3 L 700 mL
  6 L 180 mL
```
20
```
   6   1000
  7 L  500 mL
- 4 L  800 mL
  2 L  700 mL
```
24
```
     1
  3 kg 600 g
+ 2 kg 500 g
  6 kg 100 g
```
28
```
   3   1000
  4 kg 400 g
- 1 kg 500 g
  2 kg 900 g
```
29 7 L 500 mL＋2 L 100 mL＝9 L 600 mL
30 5 L 800 mL－2 L 700 mL＝3 L 100 mL
31 3 kg 100 g＋3 kg 800 g＝6 kg 900 g
32 5 kg 700 g－1 kg 500 g＝4 kg 200 g
33 8 L 150 mL＋1 L 300 mL＝9 L 450 mL
　 4 L 180 mL＋3 L 900 mL＝8 L 80 mL
34 3 L 600 mL－1 L 500 mL＝2 L 100 mL
　 5 L 500 mL－3 L 900 mL＝1 L 600 mL
35 1 kg 700 g＋8 kg 100 g＝9 kg 800 g
　 3 kg 900 g＋4 kg 600 g＝8 kg 500 g
36 8 kg 600 g－7 kg 400 g＝1 kg 200 g
　 9 kg 200 g－2 kg 500 g＝6 kg 700 g

130~132쪽 평가

1 3 L 800 mL
2 6 L 400 mL
3 6 L 200 mL
4 2 L 100 mL
5 1 L 400 mL
6 3 L 600 mL
7 4 kg 750 g
8 9 kg 900 g
9 7 kg 200 g
10 1 kg 100 g
11 2 kg 200 g
12 1 kg 400 g
13 6 L 600 mL
14 8 L 600 mL
15 8 L 250 mL
16 6 L 180 mL
17 1 L 200 mL
18 1 L 500 mL
19 3 L 500 mL
20 2 L 700 mL